Allons donc

PIERRE ANDRÉ

Allons donc

roman

Les Éditions des Intouchables bénéficient du soutien financier de la SODEC, du Programme de crédits d'impôt du Gouvernement du Québec, du PADIÉ et sont inscrites au Programme de subvention globale du Conseil des Arts du Canada.

LES ÉDITIONS DES INTOUCHABLES
4674, rue de Bordeaux
Montréal, Québec
H2H 2A1
Téléphone : (514) 529-8708
Télécopieur : (514) 529-7780
intouchables@yahoo.com
www.lesintouchables.com

DISTRIBUTION :
Prologue
1650, boulevard Lionel-Bertrand
Boisbriand, Québec
J7H 1N7
Téléphone : (450) 434-0306
Télécopieur : (450) 434-2627
prologue@prologue.com

Impression : AGMV-Marquis
Infographie : Yolande Martel
Maquette de couverture : François Vaillancourt

Dépôt légal : 2001
Bibliothèque nationale du Québec
Bibliothèque nationale du Canada

ISBN 2-89549-056-2

Aux étudiants et étudiantes
de Francis Tremblay.

Mouvements 1

Vous étiez assise au bar et me tourniez le dos. Vous ne m'avez pas vu. À peine m'avez-vous aperçu. Vous n'y êtes pour rien. Je m'amuse à passer incognito. Et, pourtant, j'aurais bien aimé attirer votre attention. En vous voyant, vous m'avez immédiatement plu et, si je ne vous ai pas adressé la parole, c'est que je ne crois pas plus en l'amour qu'en l'amitié et encore moins à l'être susceptible de me procurer ces denrées égarées. Vous voyez, vous avez là une idée de l'ampleur du gouffre au-dessus duquel ma vie se trouve suspendue. Si je n'étais pas conscient de cela, je réunirais en moi toutes les conditions requises pour profiter avec peu de scrupule de mes semblables? Mais cela ne révèlerait-il pas qu'une insondable incapacité à être, recouverte d'une méfiance fort primitive? Souvent, j'espère mes déductions fautives. Je ne m'attendais pas, en vous retournant votre sac, à patauger dans les fondements boueux de l'organisation de notre corps social. J'aurais aimé, au moins une fois dans ma vie, profiter de la présence d'une femme. Je déraisonne un peu. J'ai bien dû profiter du corps d'une femme puisque je suis au monde. Combien d'années de sa vie, d'ailleurs, ma mère a-t-elle sacrifiées pour nous mettre au monde, mes frères, mes sœurs et moi, êtres ingrats parmi les ingrats? Je connais au moins deux de ces longues années dont elle n'a parlé qu'une seule fois, je crois. Ma mère n'a jamais rien demandé en dehors de nous et le peu qu'elle a espéré nous concernait mais avant notre avènement, c'est-à-dire dans notre absence. M'ayant légué une partie de son secret, je peux légitimement considérer que j'ai reçu le plus bel héritage maternel qu'un homme puisse jamais recevoir. Ma mère, comme sa mère, est morte sénile, c'est-à-dire entièrement usée. C'est là, d'ailleurs, que j'ai compris ce que veut dire la sénilité. Devenir sénile, c'est obtenir l'assurance de rêver tout haut en n'espérant plus rien tout en demeurant à l'abri de toutes sanctions sociales. Rien de plus rien de moins. Était-il nécessaire, par souci d'économie familiale, de médicaliser sa condition ? Que demandait réellement cette vieille femme ? Que l'innocente cupidité de sa progéniture la condamne au mouroir ? La turpitude de ce monde me terrasse. Serait-il possible, même avec de l'acide sulfurique, d'attendrir la croûte de sa bêtise ? Notre corps social subit une thrombose humanitaire. Des caillots bloquent la circulation des éléments qui constituent ce qu'il appelle à tort sa conscience. La médicalisation de la sénilité s'est effectuée pour donner bonne conscience à une société industrialisée jusque dans ses rapports aux parents. Ne nous sommes-nous pas donné une technologie susceptible de réaliser l'homme ou l'idéal de ce que nous en entretenons ? Enfin, dire que je fomentais l'idée de vous faire la cour !

Voilà, ma chère amie, je vous retourne votre sac et son contenu. Vous savez, je ne fais vraiment pas la part des choses. Permettez-moi tout de même de vous exprimer mon admiration et de vous entretenir brièvement de ces curieux effets qu'une femme comme vous a produits sur l'être anachorète que je suis. Je vous expliquerai aussi comment votre sac s'est retrouvé entre mes mains. Je crois vraiment que le hasard n'existe pas. Après votre départ, je m'en suis emparé car, dans ce bar où je n'avais confiance en personne, j'étais bien humblement le seul être à pouvoir vous le rendre intact. J'aurais pu vous offrir un rendez-vous mais je préférais vous écrire. Même s'ils se retournent toujours contre leur auteur, les écrits restent, dit-on. D'ailleurs, ceux qui demeurent, ne sont-ils pas ces écrits qui se sont irrémédiablement retournés contre leur auteur.

Je vais vous dire. J'ai peur. Je crains vraiment l'imprévu que vous constituez. Pourquoi les hommes craignent-ils, toute leur vie durant, ces femmes qui les mettent au monde, me direz-vous? Tentons un instant de nous mettre à leur place. J'imagine qu'ils n'ont rien demandé et qu'ils se retrouvent là, lancés dans le monde et forcés de participer à sa marche. J'ignore ce qui s'est passé. Aurai-je eu la mauvaise conscience de trouver d'emblée l'entreprise dérisoire? Comme tous les êtres conscients, je suis arrivé ici sans l'avoir demandé et, au berceau, il me semble, par ses démonstrations de tendresse et d'affection, ma mère m'aurait signifié que, tout en faisant partie de l'espèce animale, nous étions légèrement différents. Un homme ne rejettera jamais sa mère pour la simple et bonne raison qu'une mère ne reniera jamais son fils. Nous savons tous que, même condamné par la justice des hommes, elle continuera de serrer entre ses bras, tout en caressant ses cheveux, cette tête qu'ils viendront de couper. Il n'y a évidemment pas lieu, ici, d'aborder les raisons pour lesquelles des hommes coupent la tête d'autres hommes. D'autant plus que ces raisons ne sont, bien souvent, que d'ordre économique.

J'ironise, pensez-vous? Non, rien qui ne m'est plus étranger que l'ironie. Je n'apprécie aucunement ces détours que les gens prennent pour dire ce qu'ils pensent en exprimant le contraire. Je suis prêt à être tout, sauf ironique. On peut me coller, d'ailleurs, tous les péchés, me prêter tous les défauts — toutes les qualités, aussi — que l'on voudra: je ne serai jamais ironique. Ni avec vous, ni avec une autre. Avec les femmes, je me suis comporté de toutes les manières; j'ai été ingrat et goujat, j'ai été mesquin et irresponsable — là-dessus, il faut néanmoins préciser que, comme si elles voulaient nous convaincre de leur utilité, toutes les femmes trouvent tous les hommes immatures — et j'ai été tout, sauf ironique. Jamais avec les femmes, mais toujours avec les hommes. Je ne crois pas que l'ironie soit bien utile à un homme dans ses rapports avec les femmes. Mais elle lui est indispensable dans ses échanges avec les autres hommes. Le monde des hommes est un monde essentiellement agressif et l'ironie représente la meilleure égide contre l'agressivité niaise, naturelle et impuissante. Avec eux, l'ironie sert non seulement à parer les coups, à les contrer mais, très précieusement, à les rendre coup pour coup. Je ne dis pas que les femmes ne peuvent être agressives : l'agressivité des femmes s'exprime différemment, en des domaines autres et pour des raisons distinctes ; les femmes sont essentiellement autres et, aussi, nous sont-elles tout-aussi-essentiellement-étrangères. Leur monde nous est interdit et nous le sera toujours. Un homme n'arrive pas à voir et à comprendre ce qu'il peut y avoir dans l'esprit d'une femme, pas plus qu'une femme ne parvient à imaginer ce qui peut se passer dans la tête d'un homme. Ces mondes sont irréconciliables en dehors du sexe et la sexualité existe pour les impératifs de l'espèce. Quand une femme désire un homme, ce n'est pas l'homme qu'elle désire, c'est l'espèce de la femme qui convoite l'homme pour le bien de l'espèce. Et il en est de même pour l'homme. Quand un homme désire une femme, il peut tout faire pour l'obtenir mais c'est l'impératif de l'espèce qui agit en lui. Cela ne fait aucun doute et est si évident que plus personne ne le souligne alors que la base des relations entre les hommes et les femmes se trouve très exactement là et pas ailleurs. Cela, tout le monde le sait, mais plus personne n'ose le dire à cause de la censure qui frappe en douce les sociétés démocratiques pour en faire, comme nous le savons tous, des sociétés discrètement totalitaires.

Ce monde ne me révolte pas autant pour ce qu'il est que pour ce qu'il se cache et refuse de voir. Serait-il à l'image du Dieu qu'il s'est donné qu'il aurait besoin d'une injection de paganisme ? Voilà la drogue que devrait consommer cette société en mal de parégorique. Du berceau au linceul, l'industrie pharmaceutique accompagne chacun de ses membres pour le préserver du tableau de sa propre déchéance sous l'éclairage aveuglant de sa vanité de chef-d'œuvre-de-la-création. Quel génome ! S'il lui suffisait d'être ridicule, cela pourrait passer. Son esprit d'efficacité le stimule jusqu'à la dérision. On ne paie pas autrement cette naissance coupable sous le regard d'un dieu vengeur et belliqueux, premier propriétaire foncier de l'univers. D'ailleurs, la frime capitaliste ne se déploie-t-elle pas avec sa bienfaisante bénédiction pendant qu'il profite tout bonnement de sa rente ?

Vous m'avez tout de suite plu. Votre regard, vos yeux, votre sourire. Tout ce que pouvait refléter le monde de vos préoccupations et celui de vos aspirations. C'est vraiment au-delà des besoins de l'espèce, avec laquelle d'ailleurs j'ai rompu, que votre aura m'est apparue. Le terme n'est pas féminin pour rien. Excusez-moi, je divague. Il m'arrive parfois de faire des liens dont les rapports demeurent ténus. La vie m'a appris à favoriser mon intuition jusqu'à la glorifier. Ainsi, je n'ai pas besoin de vous connaître pour savoir qui vous êtes. Rien ne distingue autant les individus que l'importance fondée ou non qu'on leur accorde. Moi aussi j'aurais aimé naître seul, sur une île déserte, parmi les plantes et les animaux. J'aurais aimé connaître d'autres langages que le nôtre. On dit bien que notre langage crée notre condition. N'est-ce pas la raison pour laquelle on entretient les peuples dans l'ignorance à coups redoublés d'insignifiances en guise de soluté ? Les résultats de la moisson intellectuelle ne sont-ils pas proportionnels à la nourriture qu'on leur sert ? Ce monde est vraiment misérable. Pour s'épargner une leçon d'humilité, il est allé jusqu'à inventer l'intelligence artificielle. Prétentieux jusqu'à la désespérance, il se vautre dans une idée de progrès qu'il falsifie par une idée primaire d'efficacité. La société postmoderne se caractérise aussi par l'innocente facilité avec laquelle elle marie le développement de ses hautes technologies à la généralisation d'une indigence intellectuelle admise et consacrée par sa télévision, son grand-atelier-de-l'ineptie. Une société qui développe une industrie du cauchemar pour que ses membres s'y sentent heureux, est une société qui, par l'utilisation de la peur, se voue à la banalité.

Servie quotidiennement, son insipide mixture agit comme une anti-catharsis. Quand les progrès technologiques ne servent plus qu'à perpétuer des formes éculées d'esclavage, ces progrès technologiques ne s'inscrivent plus dans une logique de recherche de connaissances, donc de vérité, mais dans une logique de domination. Bien sûr, ces histoires concernent les philosophes, pas les gens comme vous et moi. Avez-vous remarqué que, depuis les révélations de Marx, il y a une tendance à marchandiser les aspirations les plus modestement humaines. Le capitalisme, pour survivre comme base-de-forme-de-rapports-humains, doit tout virtualiser. Cette base repose sur la séparation qu'il a opérée du travail et du sens du travail. Couper le travail de son sens premier, le couper de sa raison d'être pour l'individu qui y consacre sa vie, est une aberration-contre-humaine. La virtualité est entièrement contenue dans les fluctuations des monnaies décrochées de tout rapport au réel. Liberté rendue accessoirement virtuelle ! Est-il utile de vous avouer que cela participe grandement à faire mon malheur ?

Pourtant, pour la première fois dans ma vie, je me considère heureux. Je ne suis pas un parvenu. Depuis longtemps, je ne me fais plus aucune illusion sur le bonheur. Je ne crois pas plus au bonheur qu'en une femme susceptible de me le procurer. En fait, je ne crois en rien ou alors à très peu de choses. J'ai parfois peine à croire en moi-même, en ma propre existence ; enfin, je ne me fais aucune illusion sur mon compte. Je crois que le monde est et que son reflet, dans nos petits esprits, ces consciences mutilées, nous interdit toujours de le saisir *tel qu'il est*, interdiction qui amenuise notre volonté d'un monde *tel qu'il devrait être* et nous donne à mériter le monde tel qu'on le vit. Nous ne comprenons pas le monde parce que le monde constitue notre première, notre seule et intime interdiction. Nous sommes hors du monde. Le monde nous est interdit. Jamais nous n'y aurons pleinement accès. Nous sommes condamnés à nous rabattre sur l'idée imprécise que nous en avons, sur un sfumato conceptuel de ce qu'il aurait pu être.

Mais je m'éloigne encore. Vous ne m'avez pas remarqué et parce que vous ne m'avez pas remarqué, vous ne savez pas que j'ai, à peu de chose près, tout entendu de votre conversation avec votre amie. N'allez pas croire que je m'amuse à épier les conversations de mes semblables. Ordinairement, il me suffit de les observer quelques secondes pour savoir ce qu'ils pensent et ce qu'ils pensent me laisse indifférent pour la simple et bonne raison que ce qu'ils pensent a, soit déjà été pensé, ou, si cela n'a pas été pensé, cela s'avère alors sans aucun intérêt. Quant aux conversations des femmes, il n'y a rien qui ne m'est plus étranger, rien qui ne me laisse plus stoïque quand elles ne me rebutent pas tout simplement. Si je vous disais que j'ai passé une partie de ma vie avec une femme, à lui parler de mes lectures — à l'époque je lisais beaucoup, d'une manière maniaque même ; aussi bien le dire, j'étais un maniaque-de-la-lecture — et de toutes ces lectures, toujours je l'entretenais comme elle m'entretenait de la marche de notre ménage, d'économie domestique et de son besoin d'avoir un enfant. Nous avons fini par avoir un enfant — c'est, d'ailleurs, la seule erreur capitale de ma vie. Après l'enfant, comme elle avait obtenu ce qu'elle désirait, elle m'a, comme il se doit, congédié ou, pour suivre le ton actuel, elle m'a remercié de mes services. Un jour, durant les procédures de notre divorce, alors que nous dînions au restaurant en compagnie de notre enfant, elle me demanda en quoi consistait la cosmologie du big bang. Je me souvenais l'avoir entretenue des heures et des heures de cette théorie — qui n'est, en passant, qu'une théorie fort imparfaite parce que trop anthropomorphique —, mais tout ce qu'elle entendait, tout ce que je lui disais lui rentrait par une oreille et lui ressortait par l'autre sans même effleurer sa mémoire. Quelle importance ! À l'époque, je croyais qu'elle m'écoutait mais, dans les faits, elle faisait semblant de m'écouter. Je lui parlais de l'imperfection de cette théorie — mais aussi de son fabuleux pouvoir d'attraction à l'approche de la seconde initiale — et elle devait penser au ménage et à l'enfant qu'elle désirait avoir et la seconde initiale se confondait à celle qui préside à la rencontre du spermatozoïde et de l'ovule. Et elle devait penser comment il ou elle serait, à qui il ressemblerait, comment la grossesse se passerait et aussi l'accouchement, comment la famille le trouverait, ce qu'il allait devenir dans la vie, et ainsi de suite ? Quotidiennement, tous les comment étaient méthodiquement explorés. Comme elle n'écoutait pas ce que je lui disais, je me vois dans l'obligation de déduire que son amour pour moi était si grand, que le son de ma voix lui suffisait. Vivre avec une femme, c'est s'exposer à n'entendre parler que de ménage, d'économie domestique, d'enfants et, deux semaines par mois, de ses menstruations qui s'annoncent, qui tardent à venir, qui ont lieu ou qui se prolongent indéfiniment.

Je m'égare, pensez-vous ? Vous savez, j'ai le droit de divaguer et d'extravaguer, de me laisser porter par le discours qui est en moi et que la société étoufferait si je possédais une quelconque autorité. Comme ce fou qu'on dépossède de toute autorité et dont la parole devient un non-lieu aux frontières de l'utopie, j'erre aux limites de l'innommable.

C'était la première fois que je mettais les pieds dans ce bar. Ordinairement, je préfère les tavernes des quartiers populaires. C'est là qu'on voit l'homme tel qu'il est. Ailleurs, tout n'est que mascarade de bonnes femmes. Cela aussi je le dis sans mépris. Il y a longtemps que je n'éprouve plus aucun mépris car, pour mépriser, ne faut-il pas encore aimer ? Dans les tavernes des quartiers populaires, on rencontre l'homme sans fard, le malheur véritable et le courage affirmé de la lâcheté de vivre. C'est là qu'on découvre ceux qui assument le mieux la veulerie de l'espèce. Ce monde est authentique. Dans les tavernes, on ne joue pas à boire : on boit. On boit et on défie l'État. À cause des gouvernements, de leur nouveau puritanisme clinique et des taxes sur tous les produits dits d'évasion, on fait circuler ces bienfaits qui, par la contre-bande organisée, deviennent accessibles aux plus déshérités. Il faut bien qu'il y ait une justice pour les pauvres et, quand l'État se détourne de cette responsabilité, les forbans s'en occupent. Les gens sont là pour boire parce qu'ils ne peuvent s'empêcher de boire — et qu'auraient-ils de mieux à faire ? Ils ont été rejetés et assument ce rejet par l'acceptation pleine et entière de leur alcoolisme et ils le font tout aussi consciencieusement que d'autres s'appliquent à travailler, à se construire un petit monde confortable et crédible et à voter tous les quatre, cinq ou sept ans selon les constitutions.

C'était la première fois que je me rendais dans ce bar et ce sera la dernière. Je ne fréquente pas assidûment les bars et ceux qu'il m'arrive de déshonorer de ma présence se révèlent pour cette raison si abjects que je ne les fréquente jamais plus. Comme les gens qui les hantent, ils finissent tous par se ressembler. Et les cafés sont identiques. Je préfère souvent les petits restaurants des quartiers populaires ; la cuisine y est meilleure et les gens ne s'amusent pas à jouer à ce qu'ils ne sont pas. Ils reconnaissent et acceptent le pilori auquel ils sont cloués, ils ne sentent plus les clous.

D'ailleurs, la prochaine fois que vous irez dans un café, rue Crescent ou rue Saint-Denis, avenue Mont-Royal ou rue Laurier, regardez les gens. Allez-y seule et observez vos contemporains. Un tel parle de cinéma comme s'il était Fellini en personne alors qu'il n'a tourné bien souvent qu'une petite vidéo minable et sans importance dont le contenu se perd dans la confusion générale engendrée par les diverses conspirations. Observez vos contemporains et vos contemporaines. Une autre se prend déjà pour une actrice alors qu'elle n'a eu que le titre de figurante, une seule fois, et dans une production souvent insignifiante, pour ne pas dire carrément grotesque. Cette autre suit des cours de chant depuis deux mois, se prend maintenant pour une cantatrice et se comporte comme une star. Elle a le comportement de la vedette et s'imagine que cela suffit pour en être une. Vous voyez où en est ce monde ? Elle est persuadée que l'habit fait le moine et que cela représente la garantie de son succès dans un monde où l'apparence est posée comme valeur souveraine. Cet autre, dans un autre café, griffonne et désire devenir écrivain. Il a mis l'habit, il tient le crayon et il se donne quotidiennement en spectacle dans le même café, entre midi et quatorze heures. Il s'absorbe dans son travail ou fait semblant de s'absorber. Quelle importance! De temps en temps, il soulève la tête et, si quelqu'un le regarde, il se dit: *Il doit me prendre pour un écrivain* et, bien souvent, cela lui suffit pour que sa journée soit aussi bien remplie que la page qu'il vient d'écrire, pour qu'il soit satisfait de ses gribouillis qui n'intéresseront jamais que lui-même et ses supposés admirateurs qui n'existeront jamais. Il retourne alors à son appartement et va dormir en paix: on l'a pris pour un écrivain. Ils et elles rentrent tous à la maison, la tête reposée, le cœur en paix, persuadés d'avoir accompli leur mission spectaculaire; d'être ce qu'ils ont donné l'impression d'être, c'est-à-dire des artistes. Quelle ostentation! Dans les quartiers populaires, au moins sommes-nous à l'abri des artistes et de toutes leurs prétentions.

Je dois vous avouer que j'ai commis une indiscrétion. Je n'aurais peut-être pas dû lire cette lettre. Si je n'étais pas si discret, vous pourriez me le reprocher. Vous n'avez rien à craindre. Je ne parle plus à personne. Mes échanges avec mes semblables ne se limitent maintenant qu'au domaine commercial.

C'est par simple curiosité que je l'ai lue. Vous savez comme moi qu'en ce monde, on ne sait jamais à qui l'on a affaire. On rencontre une femme, on habite avec elle durant des années, on croit l'aimer, on croit qu'elle nous aime et un jour on découvre que cette femme nous a toujours été étrangère. On s'imaginait la connaître mais cette connaissance n'était que prétention. Cette connaissance n'était même pas partielle comme toutes les connaissances que nous pouvons avoir. Cette connaissance n'était que pure et vaine présomption. Cela nous l'apprenons toujours trop tard et toujours à nos dépens. On n'apprend rien en ce monde qui ne soit appris à nos dépens et l'on n'apprend rien qui ne soit appris au bon moment. C'est la condition humaine de tout apprentissage. Vous aussi vous apprenez présentement, à vos dépens et beaucoup trop tard.

Il y a plus de prétentions dans la connaissance d'autrui que nous sommes portés à nous l'avouer. Nous ne savons jamais exactement ce que l'autre recèle de bon ou de mauvais. Ordinairement, en surface, les gens semblent tous passablement les mêmes, c'est-à-dire innocents et plus ou moins justes. Les gens nous apparaissent souvent comme irrépréhensibles mais, quand on approfondit le regard que l'on jette sur eux, quand on s'attarde et que l'on fixe une personne dans les yeux et que cette personne détourne le regard parce qu'elle se sent révélée, cette personne ne se révèle à nous que par sa propre révélation à elle-même. Cette personne qui ne peut supporter le regard d'autrui vient d'avouer tous ses crimes. En surface, nous sommes tous innocents. Au fond de nous, chacun se sait profondément criminel. Je n'ai pas à me cacher la vérité. Je suis aussi criminel que vous et ce que je fais avec vous est essentiellement criminel. Mais, vous aussi, vous avez commis un crime à l'égard de cet homme qui vous écrit. Vous l'avez quitté ou il vous a quittée, je crois que je ne pourrai jamais savoir. Vous l'avez quitté et c'était là votre droit le plus strict. Il vous a quitté et c'était là son droit le plus strict. Vous savez, s'il était en mon pouvoir d'instaurer une nouvelle société, je l'établirais sur la base des valeurs et non sur celle des droits. Je rêve, pensez-vous, et innocemment en plus ? Ne vous faites pas d'illusions ; moi, je ne me fais plus aucune illusion. Si je possédais le pouvoir de transformer cette société, j'en accentuerais les travers afin de précipiter sa décadence. Après, je savourerais une paix intérieure et, le cœur content, comme ces artistes qui rentrent chez eux, bercer leurs illusions après avoir été à la hauteur d'une fausse représentation, je m'endormirais en affichant le sourire de celui qui croit son devoir accompli. S'il était en mon pouvoir de changer le monde, je ferais en sorte de précipiter sa chute. Je ne m'épargnerais même pas moi-même. C'est d'ailleurs là le propre des sauveurs, vous ne croyez pas ? Je le dis sans ironie.

Vous êtes une femme de carrière et cela je l'ai deviné simplement en vous regardant entrer dans ce bar avec votre amie, enlever votre manteau et vous asseoir. Rien dans votre personne ne pouvait laisser présager cet oubli. En vous observant, j'ai passé en revue bon nombre de déductions vous concernant. Vos vêtements me renseignaient sur vous plus que vous ne pourriez jamais l'imaginer. C'est toujours ainsi avec les gens. Je n'ai même pas besoin d'entendre ce qu'ils disent pour savoir ce qu'ils pensent. Vous vous habillez avec élégance et vous vous maquillez avec discrétion. Vous êtes tout ce que l'on peut appeler une femme moderne et je le dis sans ironie.

Je vous ai avoué que je considérais criminelle l'attitude que j'ai adoptée envers vous. Je sais même que la justice des hommes me considérerait comme tel et me condamnerait si jamais vous portiez plainte et que l'on me découvrît. Mais je ne crains pas la justice des hommes. L'emprisonnement m'épargnerait la vue de mes contemporains. D'ailleurs, on ne peut pas emprisonner un fou. Même en l'internant, on ne l'enferme pas. Un être comme moi demeure conscient qu'il vit dans sa tête et, comme l'esprit franchit toutes les cloisons, il est impossible de l'emmurer. Le seul moyen d'isoler un fou est de tenter de soigner sa folie. Mais la folie ne se soigne pas. La folie telle que définie actuellement demeure une maladie incurable. Je suis bien placé pour le savoir. La folie n'est pas seulement une maladie, c'est aussi un art qui nous préserve de ce monde en nous en dévoilant l'odieux. Peut-être même me trouvez-vous odieux de m'insérer ainsi dans vos histoires, dans votre petit environnement ? Criminel et odieux, pensez-vous ? Mais vous, vous n'avez pas été odieuse avec cet homme qui dit vous aimer encore et auquel vous refusez le moindre rendez-vous ? Ah ! je sais. Vous êtes libre de votre personne et puisque c'est fini, c'est fini, vous dites-vous. Peut-être que, pour lui aussi, c'est fini et qu'il ne désire, avec ce rendez-vous, que tourner une fois de plus le couteau dans sa plaie. Les hommes ont un penchant à la nostalgie plus prononcé que les femmes. Dans ces histoires-là, pour pouvoir en finir, les hommes passent souvent par le ressassement et le ressentiment réglés, réglés comme une horloge, comme lors des sacrifices. En effet, au sortir de ces histoires, qualifiées emphatiquement d'amoureuses, ils ont souvent l'impression d'y avoir immolé leur vie. Il faut aussi savoir que les femmes, quand elles désirent un homme dans leur vie, peuvent s'accommoder d'un nombre infini de prétendants. Pénélope est restée dans les mémoires parce qu'elle était plus qu'un mythe. N'allez surtout pas penser que je souhaiterais que la femme moderne ressemblât à Pénélope. Je n'ai rien contre les mythes ; ils nous servent souvent à saisir une réalité qui, autrement, ne constituerait que confusion. Au fond, ils sont les témoins de notre impuissance à pénétrer le monde. Ne représentent-ils pas cet aveu d'impuissance d'un monde aux prises avec une réalité incommunicable ?

Je n'ai pas besoin d'entendre ce que les gens disent, d'épier leur conversation pour savoir ce qu'ils pensent ou peuvent penser. Il me suffit souvent d'observer leurs manies, car chacun a ses manies et ce sont nos manies qui souvent nous trahissent. Chez vous, je n'ai remarqué aucune manie. C'est cela qui m'a tout d'abord surpris et qui a fait que je me suis intéressé à votre personne d'une manière toute particulière et d'autant plus intense que vous êtes la deuxième femme que je rencontre qui présente cette caractéristique de ne pas avoir de manie. Vous m'êtes apparue comme un être unique et rare. Vous auriez pu avoir la manie qu'ont bien des femmes, vous savez, cette fameuse-manie-de-poser. La plupart des femmes, quand elles se sentent regarder, ont la fameuse-manie-de-poser. Les deux hommes assis de l'autre côté du bar, en face de vous et de votre amie, ne cessaient de vous regarder et ils sont allés jusqu'à vous adresser la parole. De la table où j'étais, j'ai pu voir la réaction de votre amie qui, elle, s'est mise à poser, à faire la belle comme on dit, à roucouler nerveusement comme une tourterelle assiégée alors que vous, chose rare chez une femme, vous êtes restée la même. Ne pas tomber dans la fameuse-manie-de-poser quand on est une femme et que l'on se retrouve dans une telle situation s'avère exemplaire et constitue une qualité rare, voire exceptionnelle. Aussi rare, j'imagine, que la femme que vous êtes.

Je sais. Je donne l'impression d'être amoureux de vous. Peut-être avez-vous raison. Vous savez, je suis certes amoureux de l'impression que vous m'avez faite. Nous sommes toujours plus amoureux de l'image que nous nous faisons de l'autre que de l'autre. Nous entretenons un très curieux rapport avec la réalité. Toutes nos disputes de couple proviennent de ce rapport atavique au réel. Il est vrai que les questions économiques suscitent bon nombre de disputes conjugales. Autant, sinon plus que les histoires d'infidélités. Comme nous voudrions être maîtres de nos sentiments! Combien de sentiments ne parvenons-nous pas à exprimer? Sommes-nous réellement condamnés à demeurer cette vague idée de ce que nous croyons être? Pourquoi ne pourrions-nous pas exister sans cette conscience malheureuse qui nous accompagne partout? Déchirés, amoindris, diminués, ne sommes-nous pas là à attendre un sauveur à qui reviendrait la responsabilité de mettre l'homme au monde? L'homme doit bien se résumer à l'idée qu'il nous est possible de nous en faire au-delà de la quête de toute permission. Ni bon ni méchant, il cherche une entente entre sa médiocre réalité et cette idée énorme qu'il peut s'en faire quand il l'idéalise. Pas de sauveur pour lui. Médiocre par définition, il ne sera jamais à la hauteur de ses femmes auxquelles il refuse, avec raison, de remettre les clés du pouvoir. Je ne crois pas que l'humanité puisse se payer le luxe de pousser la connerie jusqu'à l'hystérie. Je ne crois pas, non plus, à l'hystérie. Je lance les mots comme d'autres des dés. Vous savez, vous êtes la dernière à m'arracher des confidences. Je ne voudrais pas mourir sans témoigner de ce que j'ai pu être. Il ne faut pas se faire d'illusions. Nos vies demeurent foncièrement risibles. Si encore elles pouvaient nous appartenir. Pouvons-nous être tenus responsables de ce qui ne nous appartient pas ? Que le capitalisme nous rende nos vies et nous pourrons nous présenter devant son Dieu. Comme boxeurs, nus, transparents de sueur, les bras le long du corps, nous le fixerons dans les yeux pour lui demander ce qu'il veut de plus. Nous sommes bien d'accord pour avoir un Dieu, nous ne voulons simplement pas qu'il nous soit imposé. Ce serait d'ailleurs la seule condition pour laquelle j'accepterais de croire en lui. Comme l'homme nous effraie ! Comme sa naissance nous tourmente et nous terrorise ! Qu'attendons-nous pour le mettre au monde ? J'écris sur un bureau que mon père, l'ouvrier, m'a offert après sa mort. Je n'ai pas le choix d'avoir une pensée socialiste, anarchiste et nihiliste. C'est l'exploitation du peuple qui fait le peuple et, aussi, engendre ce matériau indispensable à la composition des détonateurs. En fait, je vous écris pour que vous soyez témoin que je me dissocie du processus historique. Quand l'économie efface toute trace du passé. L'histoire, tout aussi éloquente qu'elle puisse être, ne révèle que notre incapacité à être. Cette image, que nous avons dessinée sur les parois de nos cavernes, ne dévoilait pas que nos aspirations. Nos tares aussi s'y trouvaient trahies. À souhaiter des chasses miraculeuses, comme si nous courions les billets de loterie, nous aurions jeté les bases de l'invention de Dieu. Si la récolte de l'information est devenue plus importante que celle des céréales, qu'attendons-nous pour nous parler ? Jetons les armes. Le regard de l'homme libre constitue l'armure la plus invulnérable. Il faut sortir de la caverne pour pouvoir se le dire. Quand mettrons-nous fin à la sauvagerie et à l'exploitation de l'homme par l'homme ? Pouvons-nous accéder à la démocratie. Comme il me serait gênant de mettre des enfants au monde sous un régime totalitaire, même discrètement totalitaire et policier comme le nôtre. Ne juge-t-on pas une société sur le sort qu'elle réserve à ses enfants ? Cette société ne m'aura jamais appris qu'à nier l'enfant que j'aurais aimé être. Ma révolte résulte du fait qu'on m'a arraché à mes jeux pour m'enfermer dans une école. Pour ce qu'il y avait à lire, je ne voulais pas apprendre à lire. On m'y a obligé. J'ai fini par l'apprendre pour leur en faire regretter. À quatre ou cinq ans, on me disputait parce que j'avais osé admirer les fesses de ma petite voisine. Cela a suffi pour faire de moi un grand admirateur des charmes féminins. L'année suivante on me livrait au système d'éducation. On voulait m'apprendre à lire. Mon esprit de contradiction m'a poussé à écrire. On aurait été mieux de me laisser contempler le derrière de ma petite amie. Cette frustration sexuelle ne pouvait trouver d'issue autre que politique. À chaque fois qu'on reproche à un enfant d'aimer, on s'expose à une insurrection.

Vous savez, il ne me reste plus qu'à exagérer. Et je le dis pour bien enrober les choses, car je crains pour nos démocraties. Quand les policiers se font éducateurs, comme l'indique la tendance actuelle, c'est tout l'univers de l'éducation qui se militarise. Nous savons tous qu'un professeur vaut dix policiers, c'est Napoléon qui le disait, semble-t-il. Ce que Napoléon n'a pas dit, c'est combien d'enseignants vaudrait un policier-éducateur ? Dans nos élans exponentiels, il devrait bien en valoir au moins cent si ce n'est mille. Notre époque en est une d'hallucinés dépressifs. Nous avons cessé d'entrevoir un quelconque avenir à l'espèce. C'est ce qui explique cette grande morosité qui permet de plus en plus au policier de se faire psychologue et vice versa. C'est bien là ce que Freud craignait avec son malaise à l'égard de ce qu'il appelait encore la civilisation. Concédons le fait qu'il était vieux et complètement désillusionné. Pourquoi son testament, ce dernier ouvrage, serait moins important que ses théories ? Voilà un des éléments de la grande-conspiration-contre-le-sens.

Comme les contraires s'attirent et comme ce dicton populaire dit vrai. Le langage populaire dit souvent plus vrai que le discours éclectique ou élitiste. Avez-vous remarqué, le peuple est rarement dans l'erreur et l'élite toujours. Quelle soit financière, politique ou universitaire, l'élite est toujours dans l'erreur car ses fondements mêmes sont erronés. Souvent, l'élite ne rassemble que des gens suffisants qui nient leur suffisance et se complaisent dans ce reniement. Ce sont des gens souvent incapables qui se définissent par un superlatif pour masquer une insuffisance impénitente. L'élite rassemble des gens qui ne croient qu'en eux et qu'en leurs idées mais, pour ce faire, il faut bien souvent n'avoir qu'une seule idée en tête : l'idée-de-domination-liée-à-celle-du-pouvoir-et-de-l'argent, donc de la propriété. Évidemment, le propre de l'élite est de n'avoir que des idées-autant-que-possible-rancescibles. On ne peut pas garder le pouvoir, une fois qu'on l'a acquis, autrement qu'en se conformant à des idées putréfiées. Regardez ce que nous nous offrons comme élite politique. Nous ne pourrons jamais faire un pays crédible avec des larves. C'est vrai qu'ici bureaucrates et policiers sont chargés de définir l'espace politique, l'organisation de la cité. J'accorde toujours plus d'importance et de crédibilité aux propos d'une personne du peuple qu'à ceux d'une personne de l'élite. Seuls les gens de l'élite ont intérêt à feindre et ils feignent continuellement. Propriétaires sans lettre de noblesse, car celle-ci a été abolie, ils sont jaloux de biens et de positions acquis à l'arraché. Comme dans le mythe de la création, par la suite, ils se reposent. Qu'ils soient hommes d'affaires, politiciens ou universitaires, la plupart du temps ils mentent, car tel est le métier des gens qui prétendent faire partie de l'élite. Ils se mentent d'abord à eux-mêmes en se prenant pour des membres de l'élite et, pour obtenir la confirmation qu'ils ont peut-être raison, ils mentent à toute la population. Comme ils parviennent préalablement à se mentir à eux-mêmes, leur fonction principale devient celle de mentir-à-tous. Il faut se mentir d'abord à soi pour pouvoir mentir aux autres et c'est la raison pour laquelle ils sont les premiers à croire au discours qu'ils répandent. Heureusement, les gens du peuple ne sont pas dupes ; ils se taisent mais n'accordent aucune crédibilité à leur discours. Le peuple alloue beaucoup plus d'importance à la parole du fou ou du criminel qu'à la parole d'un prétendu membre de l'élite. Sans cela, l'insubordination deviendrait impossible et nous n'aurions plus rien d'humain. Le peuple sait que le criminel est plus près de la vérité que ne le sera jamais un prétendu membre de l'élite dont la raison d'être mais aussi l'origine ne reposent que sur le mensonge. L'élite considère le peuple comme un rassemblement de dupes, mais le peuple n'est jamais trompé par elle — le peuple joue à être trompé par l'élite qu'il tolère, mais à laquelle il n'accorde aucune crédibilité. Le peuple veut entendre la parole cafouillante du criminel; jamais la parole mensongère de l'élite. Le peuple prétend que les psychiatres sont plus fous que leurs patients et, là-dessus, le peuple a entièrement raison. Nous savons tous que les psychiatres, qui font partie d'une élite pseudo-scientifique, sont toujours plus malades que leurs patients. Il faut être doublement fou pour s'imaginer pouvoir soigner la folie qui est une maladie incurable et qui prend tout son intérêt dans le fait justement qu'elle est incurable et qu'il s'agit d'une maladie qu'on dit de l'esprit. Esprit vient de souffle et le fou est celui qui s'expose à tous les vents même ceux qui lui sont contraires. Allez chercher semblable attitude du côté de l'élite! En plus, folie vient de fou qui vient du latin *follis* qui signifie ballon rempli d'air. Vous voyez comme les mots charrient à travers les âges nos réalités ainsi que d'étranges révélations sur notre perception de ces réalités. Il s'agissait évidemment d'une métaphore ironique qui annonçait déjà l'avènement des psychiatres. Avec toute leur pseudo-science, les psychiatres voudraient voir les fous ne s'exposer qu'au seul vent linéaire et uniforme de leur propre pensée. Cela est aberrant. Il faut être vraiment fou pour décider de ce qui l'est et de ce qui ne l'est pas.

Cet homme vous aimait, j'en suis sûr. Je sais, ce n'est évidemment pas une simple lettre qui me fournira l'entière explication de votre relation avec lui. Il n'en demeure pas moins que cette lettre révèle un amour infini étrangement lié à un intraitable ressentiment. J'exagère ? J'exagère toujours. En fait, je ne fais que cela. J'aime me munir d'un microscope pour prendre contact avec la réalité. Nos défauts et nos torts deviennent alors démesurément monstrueux ; ainsi nous est-il possible d'en évaluer les véritables effets. Nos défauts et nos torts apparaissent alors tels qu'ils sont et, s'il n'en était ainsi, indéniable équation, nous le constaterions immédiatement par une augmentation générale de notre qualité de vie. Dans l'ensemble, nous méritons toujours ce qu'il nous advient. Dans le tout, dont nous sommes partie, nous créons notre conscience à partir de nos propres matériaux qui, jusqu'à maintenant, se sont avérés de très petits et de très dérisoires matériaux. Il suffit que l'homme pense à obtenir tel ou tel résultat et se conforme à une démarche susceptible de lui procurer, pour qu'il obtienne le résultat contraire à celui escompté. Il s'agit là d'une règle générale, d'un principe général qui gère non seulement nos rapports mais toute notre existence. C'est exactement ce qui s'est produit avec ce dernier amour.

Cet homme vous aimait comme aucun homme ne vous a aimée, j'imagine. Il vous aimait peut-être trop et c'est pour cela que vous l'avez quitté bien que je n'en sois pas certain. J'ignore encore lequel des deux a réellement quitté l'autre. Dans ces histoires, il est toujours difficile de savoir, chacun des protagonistes prétendant souvent avoir quitté l'autre. Par contre, il ne faut jamais trop aimer une femme. Quand on aime trop une femme, cela se retourne toujours contre soi et cela on l'apprend toujours à ses dépens et jamais aux dépens de l'autre. Quand un homme aime trop une femme, souvent cette femme se lasse de lui. Il ne faut jamais se mettre à genoux — au sens figuré — aux pieds d'une femme. Au sens propre, il s'agit d'une autre histoire et de la seule qui ait un quelconque bon sens. Au sens propre, aucun équivoque ne se glisse ; cela marche ou cela ne marche pas, mais il n'existe pas d'espace entre les deux pour que se glisse le malentendu. C'est purement technique. Les corps possèdent une logique à laquelle les esprits n'auront jamais accès. À genoux aux pieds d'une femme, au sens figuré du terme, jamais un homme ne doit s'y soumettre, sinon il court à sa perte. C'est peut-être ce qui est arrivé à votre amant, mais comment en être certain ?

Vous ne m'avez pas remarqué et cela est tout à fait dans l'ordre des choses. Le contraire n'aurait pu entraîner la situation actuelle, car il ne contenait pas cette virtualité qui est devenue la réalité, votre réalité et la mienne au cœur de ce que je me permets bien humblement d'appeler maintenant notre histoire. Si vous m'aviez remarqué, toute cette histoire aurait été improbable, complètement et totalement impossible. Car, si vous m'aviez remarqué, je n'aurais pu rester et attendre votre départ. J'aurais immédiatement quitté ce bistro qui, il faut bien le dire, possédait un charme particulier que votre présence magnifiait.

Vous avez peut-être eu tort de rompre avec cet homme. En rencontrerez-vous un autre pour vous aimer comme il disait vous aimer. Mais peut-être ne l'aimiez-vous pas autant qu'il le prétend dans sa lettre ou que sa lettre semble le laisser croire. L'interprétation des mots qu'il utilise, la construction de ses phrases, le souffle qui traverse son débit montrent un homme entièrement sous votre emprise. Peut-être, aussi, n'est-ce pas là le genre de relation que vous désiriez avoir avec un homme ? Qu'est-ce qu'une femme peut bien attendre d'une relation avec un homme ? Je vous le demande, comme je l'ai demandé à toutes les femmes que j'ai aimées. Là-dessus, d'ailleurs, je n'ai jamais pu obtenir de réponse. À toutes les femmes que j'ai aimées et desquelles j'ai cru, à tort ou à raison, être aimé, j'ai toujours demandé, un jour ou l'autre, ce qu'elles pouvaient bien attendre de leur relation avec un homme comme moi. Jamais je n'ai obtenu de réponse satisfaisante. Toujours la discussion demeurait vague et imprécise. Peut-être en était-il mieux ainsi ? Non, la seule réponse claire qui ne me fut jamais servie n'entraîna que mon malheur.

L'une se targuait de ne fonder aucune attente alors qu'elle attendait tout. *Je n'attends rien de toi*, disait-elle, *nous ne nous sommes rien promis*, mais au moment de la quitter, je devenais le plus odieux des hommes, je venais de commettre un assassinat affectif, prétendait-elle. Une autre, à laquelle je disais l'aimer bien mais ne pas l'aimer tout court donc ne pas l'aimer d'amour. Plutôt l'aimer comme une amie, dormir avec elle et faire l'amour avec elle mais ne l'aimer qu'à titre d'amie et d'amie sexuelle, cette autre refusait toujours d'entendre ce discours — ces propos pourtant essentiels que je lui tenais sur la qualité de ma liaison avec elle afin qu'aucun malentendu ne se glisse entre nous et n'anéantisse irrémédiablement notre amitié. Comme j'ai eu tort de lui dire cette vérité qu'elle ne voulait pas entendre. Enfin, le résultat aurait été le même. Après notre séparation, non seulement nous ne nous sommes jamais revus mais elle a changé d'adresse et de numéro de téléphone afin que je ne puisse plus jamais la rejoindre. Je n'ai évidemment rien compris. Toujours, je ne lui avais dit que la vérité parce qu'avec les femmes je me suis fait une règle de dire toujours la vérité. Quand j'étais avec ma première femme, je lui disais toujours la vérité. Quand je la trompais — et il m'est arrivé souvent de la tromper —, je lui disais toujours la vérité ; je lui disais : *Je te tromperais réellement si je te cachais la vérité et que tu serais la dernière à connaître mes infidélités ; comme je ne te la cache pas, je ne te trompe pas. Tu connais la vérité alors tu évolues en pleine réalité et tu n'es pas trompée. Si notre relation ne peut subsister sous cette lumière, c'est qu'elle ne mérite même pas de se poursuivre.* Si je vous disais que j'ai appris à mes dépens qu'il ne sert à rien — en fait, qu'il est même nuisible — d'être trop sincère avec les femmes, me croiriez-vous ? Toute ma vie, dans mes relations avec elles, j'ai appliqué systématiquement le principe-de-sincérité ; cela n'a toujours entraîné que mon malheur. Un jour... Non, voilà que je me laisse aller à me remémorer.

Les souvenirs qui ne renferment que des regrets ne servent à rien. Toujours, ils ne sont que la preuve de la défaillance de notre esprit. Ces souvenirs représentent la ruine de la pensée. Autant les souvenirs servent à structurer notre pensée, autant ils peuvent la mener à son propre anéantissement. On ne se laisse jamais emporter par les souvenirs impunément. Si je vous demandais de me donner un âge, vous seriez à coup sûr dans l'erreur. Vous me donneriez certainement vingt ou trente ans de plus que vous alors qu'il n'en est rien. Je n'ai pas perdu mon temps, aussi ai-je l'impression souvent d'être le plus épuisé des hommes.

Vous étiez assise avec votre amie et je ne me lassais pas de vous observer. Si vous n'étiez pas partie, je serais encore là à vous regarder. C'est en quelque sorte ce que je fais avec votre photo posée là, sur mon bureau. Quand vous êtes entrée, j'ai tout de suite remarqué votre visage. J'ai vu bien des visages de femmes, je n'en ai jamais vu un comme le vôtre. N'allez surtout pas croire que je sois tombé amoureux de vous. Il y a longtemps que l'amour ne fait plus partie de mes illusions. Vous savez, l'amour est l'illusion sur laquelle viennent se greffer, pourrions-nous dire, toutes les illusions. L'amour est l'illusion-de-base sur laquelle s'édifient toutes les autres illusions que nous entretenons à l'égard de la société, du travail et des promotions, de l'argent et des institutions, des enfants et de leur amour pour nous, des parents et de leur amour pour leurs enfants. Si l'on veut se débarrasser de nos illusions, il faut se départir de l'illusion-de-base-qu'est-l'amour. Tant que cette illusion subsiste, toutes les illusions demeurent possibles et toutes ces illusions deviennent alors effectives. Bien sûr, les gens entretiennent toutes sortes d'illusions, car sans illusions il leur serait impossible de vivre. Si bien qu'ils donnent l'impression que leur seule et véritable fonction est la création puis le développement et l'entretien des illusions. Les gens travaillent d'abord socialement au maintien d'une gamme d'illusions pour eux-mêmes et pour les autres. Ils se fabriquent des illusions, les entretiennent et les chérissent. Ils apprennent très tôt à se faire des illusions. Enfants, ils prennent leurs parents pour des dieux alors que leurs parents ne sont que des écervelés dont l'imbécillité n'a d'égale que leur trop fort sentiment de concupiscence. Alors qu'ils devraient les maudire, ils les chérissent. Nous cherchons tous à retrouver l'enfant qui demeure en nous. Nous voulons lui donner préséance. Illusoirement, bien sûr. Plus tard, ces enfants éprouveront le désenchantement-du-monde, car telle est leur destinée. Quand ils deviendront parents à leur tour et qu'ils se pencheront sur l'être auquel ils auront donné la vie, ils se pencheront en même temps sur le gouffre de leur propre absurdité. Ils découvriront l'ampleur de l'abîme; l'abîme à qui ils ont donné la vie; l'abîme que constituait la décision irréfléchie de leurs parents de leur donner la vie et l'abîme, le très-grand-abîme-de-leur-propre-existence. Alors, mais alors seulement, ils maudiront leurs parents et seront en droit de s'attendre à être maudits à leur tour, anathématisés parmi les maudits. Mais, la situation ne pourra jamais être aussi claire que je vous la décris présentement. Leur tête sera si chargée d'illusions que cet abîme-là se confondra à tous les abîmes. Alors, ils se rabattront sur l'illusion de l'amour et continueront d'entretenir toutes sortes d'illusions sur eux, leur conjoint et leurs enfants et tout leur entourage les décevra sans cesses, car ils seront eux-mêmes des êtres essentiellement déçus parce que décevants.

Si l'on m'autopsiait, on ne trouverait pas une seule once de mépris et encore moins de méchanceté. Je n'éprouve qu'une mièvre indifférence envers mes semblables. Même à votre égard, j'agis avec toute l'indifférence du monde. Il m'est égal de savoir ce que vous pouvez bien penser de moi; de connaître les effets de cette lecture sur la personne que je crois que vous êtes. Je sais néanmoins que vous me lirez jusqu'au bout. Vous me lirez jusqu'au bout pour la simple et bonne raison que je suis entré dans votre monde et que maintenant je vous invite à entrer dans le mien. Probablement, rechercherez-vous, à travers mon univers, les raisons de cette insertion. Mais ce monde dans lequel je vous invite à pénétrer est un monde beaucoup plus complexe que vous ne pourriez l'imaginer. Le monde des autres est toujours plus simple que son propre monde. Son monde à soi, quand on le pénètre avec toute la vivacité de son esprit, s'avère d'une fébrile complexité. Je pénètre le mien avec perspicacité et rigueur. Cela vous semble peut-être contradictoire. La pensée, ma pensée est essentiellement contradictoire. C'est ce qui en fait toute sa force et toute son originalité. N'allez pas croire que je sois prétentieux. Je connais les limites de l'originalité et de l'originalité je ne pense que du mal. Je connais aussi les limites de ma propre force que je considère forgée de la connaissance-appliquée-de-toutes-mes-faiblesses. L'originalité des uns correspond toujours à l'ignorance des autres ; cela, comme je ne suis pas le premier à le dire, n'a vraiment rien d'original.

J'ai conservé une photo de vous et, cette photo, je l'examine tous les jours — car on ne regarde pas votre photographie, on la consulte patiemment et il n'y a pas un seul jour où elle ne m'apprend davantage. Je ne sais comment dire. Votre regard m'effraie autant qu'il me rassure. Je ne désire surtout pas vous faire un procès d'intention. Vous n'en aviez aucune à mon égard. Mais, le simple fait de vivre et de respirer ne constitue-t-il pas une intention en soi ? L'espérance n'est-elle pas le nerf moteur de la vie et son support ne demeure-t-il pas l'intention ? Il faut désirer vivre pour vivre. C'est vrai que cela est plus difficilement concevable pour cette société qui nie le désir et, en criminalisant la pauvreté, refuse de tenir compte du rôle qu'il joue dans les diverses manifestations de cette criminalité. Nous sommes tous plus intensément soumis au désir qui nous habite qu'aux règles qui nous permettent de cohabiter sous l'emprise de toute soumission.

Je vous ai dit pourquoi on avait inventé la psychiatrie. On a inventé la folie pour les mêmes raisons et c'est la raison pour laquelle je me considère malade. Mais, non seulement je m'applique à l'être, je me plais à être ainsi. Cela ne constitue-t-il pas la meilleure protection contre le monde et ces insupportables et constants assauts ? Quand nous perdons nos illusions et prenons conscience du monde, il nous assaille et nous devenons extrêmement vulnérables. Ma folie est en fait tributaire de ma perspicace lucidité qui me fait voir le monde et les gens — mes contemporains — tels qu'ils sont réellement. Ma pensée est bien volontairement contradictoire parce qu'elle est fondée sur la seule-dialectique-humainement-salubre, c'est-à-dire la dialectique dite négative. Je vous donne un exemple. La conception que vous vous faites de votre liberté se définit par ce qui s'oppose à l'idée que vous vous faites de sa réalisation et c'est pour cette raison que vous l'avez quitté. Votre amant — ou votre ancien amant — découvre à ses dépens la négativité du monde et vient de perdre une illusion qui est à la base de toutes les autres. Il ne me reste plus qu'à lui souhaiter amèrement bonne chance. Car le monde est amer et l'expérience du monde est elle-même amère-en-soi et très-essentiellement-amère. Vous n'auriez jamais dû vous trouver sur mon chemin et moi sur le vôtre. Nos destins n'auraient jamais dû se croiser. Tout aurait été tellement plus simple entre nous, si nos chemins parallèles jusqu'à ce jour n'avaient cessé de l'être. Mais, il est trop tard et l'on ne peut rien contre le hasard qui n'existe pas. Il n'y a rien en ce monde qui ne se fasse par hasard. Le hasard, comme le mythe d'ailleurs, relève de l'attitude de compromis que l'on adopte devant l'inintelligible. Ne cherchons pas de midi à quatorze heures la part de hasard et la part de nécessité à l'origine de notre rencontre. Cela équivaudrait à élaborer une théorie du big bang dans laquelle notre rencontre se substituerait prétentieusement à l'explosion de la fameuse goutte originelle. Théorie que tout cela ! Nous ne sommes rien et notre histoire n'est rien non plus. Si vous comptiez les mouvements de cette lettre, vous verriez que nous sommes rendus au treizième. Que vide et désolation sous le chiffre treize, prétendaient les anciens ! Ne nous sommes-nous pas rencontrés un treize ? Cela, et peut-être uniquement cela, ne présageait déjà rien de bon. Comment savoir ? La vie est fort complexe de nos jours.

On n'échappe pas au monde, pas plus qu'on échappe réellement à la vie. Heureusement que la conscience s'éteint quelques instants avant le corps. Quelle souffrance ce serait, sans cela ! Cela seul, j'imagine, suffit à rendre à la vie ce qui lui revient, vous voyez ? Elle n'est pas aussi cruelle qu'on le dit, finalement.

Je divague encore. Mon esprit s'égare. Je ne veux pas vous revoir et je ne chercherai jamais à vous revoir. Si jamais cela se produisait, ce serait l'effet du hasard le plus pur. J'ai votre photo. J'hésitais à vous avouer que je la conservais précieusement et que je la consultais quotidiennement. J'ai besoin de regarder l'image de la femme à qui je m'adresse. Je la regarde quelques minutes, puis je la mets de côté et j'y reviens encore, constamment.

Voilà, maintenant, c'est fait. Je ne veux tout de même pas vous apeurer. Et je ne veux pas que vous pensiez que je sois amoureux de vous. Pour votre plus grand bien tout comme pour le mien, considérez-moi comme un simple-déséquilibré-volontaire.

Je ne m'habitue pas à votre photo. Chaque jour, elle me révèle d'autres facettes de vous, de votre personnalité, il me semble. On la dirait vivante, plus vivante que vous. Chaque fois que je la consulte, j'ai l'impression qu'il s'agit de la première fois et de nouvelles révélations m'assaillent et me défient. J'essaie de vous connaître ; je n'y parviens pas et cela est heureux. Si jamais, un jour, j'y parvenais vous ne m'intéresseriez plus. Vous voyez, quand on désire que les rapports durent, il faut vraiment en préserver la teneur. Encore les dictons populaires qui ont raison de la philosophie et de tout le baratin ontologique, phénoménologique et le reste.

Je regarde votre photo; il y a tant de nitescence dans votre visage, tant de vigueur, de fermeté qui se dégage de votre regard. Les mots m'envahissent et me viennent sans que j'aie à les chercher et je n'exerce aucun contrôle sur leur apparition. Il me suffit de regarder votre photo pour que la logorrhée s'empare de moi. Les mots se présentent à mon esprit sans que j'aie appelé leur émergence. Les pensées défilent sans que je les aie sollicitées et se transforment soudainement en mots sans que j'aie recherché cette métamorphose. Quand je marche dans la rue, quand je prends le métro, tout devient pour moi une question de mots. Je croise des gens et je ne les vois pas. Je croise des femmes, parfois aussi belles que vous, et je ne les vois pas. Je ne remarque pas les femmes que je croise et je sais pourtant qu'il me serait profitable parfois de me remplir les yeux et l'esprit de tant de beauté. Mais non, je suis ailleurs; mon esprit est ailleurs. Je suis dans le monde des mots; mon esprit est tout entier absorbé par de très répressibles vocables, entièrement pénétré et subjugué. Je ne remarque pas les jolies femmes que je croise, mais je lis tout ce qui est imprimé. Vous comprendrez maintenant pourquoi la vie m'est insupportable. Parfois je relis dix fois, cent fois, mille fois le même message publicitaire; je le connais par cœur, mais ma manie des mots me le fait relire mille fois. Cela est atroce. Cela me rend la vie et le temps carrément insupportables. Je ne sais pas si je m'en sortirai un jour. On dit que l'enfer est pavé de bonnes intentions; si l'enfer est pavé de bonnes intentions comme notre environnement l'est de publicités, je crois que le paradis le plus plat dans-la-contemplation-du-Dieu-lumineux demeure mille fois préférable, moi qui n'aspire qu'à me reposer des mots. Ce monde représente un enfer en soi. Partout où je vais, je suis agressé par une variété plate de messages agressifs à l'insignifiance menaçante qui m'importunent réellement et me tourmentent continuellement. Et je ne peux rien contre ces assauts. Aucun gouvernement ne se soucie de cela, car il faut laisser une liberté entière aux entreprises, surtout ne pas les frustrer et les gouvernements n'osent pas se mettre à dos ceux qui prétendent financer l'ensemble de nos activités alors qu'ils ne font qu'exploiter la misère et profiter de l'indigence. Les gouvernements vénèrent les entreprises pour la simple et bonne raison qu'il s'agit de gens qui dînent tous les soirs ensemble. Tout cela est évidemment aberrant. Je ne mets pas les pieds dans la rue que je suis immédiatement accablé par un message publicitaire qui me propose l'achat d'un produit quelconque et pour lequel je n'éprouve aucun besoin. Les entreprises s'insèrent dans le monde secret de mes aspirations et cette intrusion me dégrade et m'avilit jusque dans mon être. On occupe indûment mon esprit. Je ne comprends pas ce monde et je pense que tout enfer lui est préférable. Évidemment aucun gouvernement n'oserait légiférer sur ces agressions contre la personne parce que tous les gouvernements et tous les régimes sont complices de ces assauts ; gouvernements ou entreprises, gouvernements et entreprises sont de connivence pour que les esprits soient plus occupés par les insignifiances qu'ils impriment partout et les insanités intellectuelles qu'ils diffusent systématiquement que par un changement substantiel et qualitatif des conditions d'existence dont ils n'ont plus la moindre intuition. Je regrette, mais sur le plan de l'exercice de la liberté, nous sommes encore des primates. Ce n'est pas gentil à dire, je sais. Serais-je plus sympathique à taire sincèrement ce que je pense de cette pauvre confrérie de bipèdes, ce grand holding de l'insignifiance et du mercantilisme, ce fulminant appareil à créer des idoles pour faire oublier la condamnation systématique de l'être ?

Nous avons réalisé l'internement par l'image, réussi l'abêtissement par les mots et pétrifié l'abrutissement par une pléthore constante de sons parce que le véritable face à face avec la vie, dont le pendant ne peut être que la mort, nous effraie lamentablement. Dans notre refus de la mort, nous nous jetons à corps perdu, à coup de symboles vides, de clichés et de redites stériles, de bavardages inutiles et de vacarme incessant, dans une amnésie froide et sans lendemain. Nous sommes parvenus à nous souiller l'esprit comme nous ne parviendrons jamais à polluer la planète. Pas un mètre carré qui ne contienne un mot creux qui transperce mon inconscient dans le but de me vendre un produit pour lequel je n'éprouve aucun besoin. Même la nuit, les mots me poursuivent et me hantent. Ils m'assaillent jusque dans mon lit et, durant mon sommeil, s'emparent de mes rêves. Cela est intenable. Toute la nuit, je revois ce que j'ai eu le malheur de lire — toujours par inadvertance — le jour, dans la rue, dans le métro, dans cet environnement urbain où le moindre espace public est convoité par l'entreprise pour vendre-toujours-plus-qu'importe-ce-que-c'est. Et toute cette publicité qu'on laisse à ma porte. On ne peut être chez soi nulle part. Un jour, les gens deviendront tous paranoïaques et schizoïdes, s'ils ne le sont pas déjà.

J'aimerais tout vous dire mais les mots m'échappent. Ce bombardement d'inepties m'a troué le cerveau. De partout et jusque dans ma tête, les mots se chamaillent et guerroient en images modernes et décevantes, en réalités banalisées qui me filent entre les doigts. Je ne perçois plus que des images alphabétiques. Je me sens épaufré dans mon être. Ma pensée ne distille plus que des concepts qui me semblent vides et quelques rares images dont la vôtre. À ce rythme-là, j'ignore où j'irai et combien de temps je me maintiendrai en vie. Je ne veux pourtant aller nulle part. Je n'ai plus aucun but.

Voilà, vous faites maintenant partie de ce désordre, de cette grande confusion. Autant vous le dire le plus sincèrement du monde : maintenant et jusqu'à ma fin, vous faites partie de mon délire. Votre image s'inscrit au cœur de ma folie. Vous faites partie de cette douce aliénation à un point tel que l'on pourrait dire que vous êtes devenue ma folie même.

Les rares jours où j'ai ressenti le véritable vertige de la folie, le vertige d'un effondrement psychologique total, une femme m'habitait et cette femme qui m'habitait, sans être responsable de cet effondrement, sa présence dans ma vie n'était jamais étrangère à cette déchéance pressentie et vécue. Toujours dans ces rares moments — vous comprenez aisément que ces moments intensifs se doivent d'être rares —, une femme occupait mon esprit troublé, venait toujours le perturber de l'extérieur, au point où je n'ai pu m'empêcher toujours, chaque fois, d'associer sa présence dans ma vie au trouble de mon esprit. Chaque fois que j'ai ressenti le vertige de ma folie, une femme sans en être la cause unique, s'avérait la cause déterminante de ce vertige, l'élément déclencheur de cet effondrement-psychologique-total, comme il me déplaisait de le nommer. Comprenez qu'une femme m'a mis au monde par pure insouciance. Une femme que, très tôt, on m'a fait appeler maman, est à l'origine de tous mes malheurs. Elle obéissait tout bonnement aux impératifs de l'espèce. Mais cela ne peut évidemment constituer une excuse. Rien n'excuse, ne peut excuser le malheur de la vie quand la vie est aussi inconsciemment propagée et que son malheur est aussi génétiquement donc irrémédiablement transmis. Pas de vie, pas de malheur, que je me déçois souvent, devant toute évidence, à penser. Cette femme qui est à l'origine de mon malheur et que l'on m'a dit très jeune d'appeler maman demeure encore et pour toujours — j'imagine — la seule et unique responsable de mon insurmontable détresse. L'insouciance ne nous relève jamais de nos responsabilités fondamentales. Nous entendons souvent parler des droits fondamentaux de l'homme qui ne sont jamais respectés parce qu'ils sont, compte tenu du contexte, inapplicables car, pour les appliquer réellement, il faudrait tout transformer de fond en comble. Mais jamais nous n'entendons parler de responsabilités fondamentales des individus à l'égard de l'espèce. Cela est certes la cause de tous nos problèmes, vous ne pensez pas ? L'insouciance n'excuse donc rien. Je rêve évidemment d'une humanité conséquente. Comment ma mère ne pourrait-elle pas être responsable du malheur qu'elle a créé en me mettant au monde ? Croyait-elle à ce point au bonheur ? Toute son existence n'est que misère et malheur. Et le même sort échut à mon père. Mon père a-t-il été heureux ? Oui, probablement qu'il le fut, lors de cette dernière seconde où, pour lui, tout s'alluma enfin et qu'il s'éteignit. La vie est essentiellement ironique. Voilà pourquoi certains font de l'ironie et pourquoi je déteste autant l'ironie que les gens qui en font. L'ironie n'est qu'une preuve appliquée d'insouciance. Nous pouvons aisément nous passer de ce genre de preuve. La vie étant ironique en soi, nous n'avons pas besoin de nous l'entendre répéter chaque jour et à en subir la démonstration à tout moment.

Ma mère, qui fut malheureuse toute sa vie, considérait la vie comme un véritable malheur. Comme elle avait raison. Après avoir élevé ses frères et ses sœurs, elle s'est mariée et s'est retrouvée immédiatement enceinte, c'est-à-dire irrévocablement enchaînée aux conditions du passé qu'elle fuyait et, cela, pour le reste de sa vie à cause, évidemment, du charlatanisme religieux qui a, durant plus d'un siècle, infecté cette société et continue de contaminer le courage de sa supposée élite. Ma mère qui n'était qu'un malheur de plus parmi tous les malheurs, ma mère qui était consciente de son malheur, en me mettant au monde, a répété l'erreur de sa mère qui qualifiait de mal sans cœur les douleurs de l'enfantement. Elle, qui mit douze enfants au monde, savait de quoi elle parlait. Un *mal sans cœur*, disait-elle, est à l'origine de nos vie, à l'origine de la vie. Elle avait mille fois raison, je crois.

Pour mon père, ce ne fut guère mieux. Durant toute sa vie, il fut, il faut le dire, exploité sans égards. Cela n'a évidemment rien de singulier ; nous savons tous que nous vivons dans un système d'exploitation générale de tout ce qui est exploitable et nous rendons tout exploitable et traduisons tout en terme d'exploitation, qu'il s'agisse des choses ou des êtres. Tout aujourd'hui se doit d'être exploitable et ce qui ne l'est pas doit le devenir ou disparaître. Seule la folie d'une conscience acérée permet de se soustraire à cette sphère d'exploitation générale. D'ailleurs, les psychiatres ne font qu'exploiter la folie. Nous savons tous que Bayer a dû découvrir le mal de tête avant d'inventer son aspirine et de la mettre sur le marché. Dans un système-d'exploitation-générale, l'invention des maux précède celle des remèdes. Cela participe-t-il plus à notre malheur? La gauche vertueuse dit que oui et les néolibéraux, les derniers imposteurs de l'histoire, disent que non. Bien que j'aie plus de considération pour les premiers, les deux, je crois, participent aussi à notre malheur. Car ce malheur n'est pas seulement dû à l'idée fausse que nous nous faisons du bonheur. Ce malheur résume mieux que le bonheur notre condition-générale-et-fondamentale-d'existence et la stigmatise. Une personne saine d'esprit pourrait en affirmer autant — dans la mesure où cette personne puisse exister réellement. J'imagine que l'idée que nous nous faisons de Dieu est celle d'une personne saine d'esprit. Dieu est l'esprit sain, mais cet esprit sain n'est possible que pour nos petites têtes malades. Nous souffrons d'une maladie qui nous permet de nous imaginer sains d'esprit, d'imaginer ce que pourrait être être-sain-d'esprits, mais la santé de l'esprit nous est totalement interdite. L'ironie de la vie en témoigne. L'ironie et ces résultats qui sont toujours contraires à ceux que nous souhaitons obtenir. Nous appelons cela l'ironie du sort parce que nous ne possédons pas d'autres mots et ne pouvons percevoir autrement cette décevante réalité. Bien qu'ils soient notre seule richesse, nos mots sont impuissants à traduire le désordre-psychologique-général. Nos mots constituent aussi notre lot que nous devons chérir puis maudire. Il existe évidemment, à vouloir les répandre partout, une conspiration contre eux pour en faire des mots-passoire desquels le sens fuit et se dérobe pour être absorbés au profit de ceux qui vendent-toujours-plus-qu'importe-ce-que-c'est. Cette conspiration, cette banalisation planifiée est à l'origine des temps modernes et constitue peut-être le fondement même de ces temps dits modernes. Les gens utilisent continuellement l'excuse de la conspiration du silence. Il n'y a pas de conspiration du silence qui ne soit une conspiration contre les mots. La caractéristique fondamentale de notre temps est la conspiration-générale-contre-les-mots. Tout semble mis à contribution pour qu'ils soient vidés de leur sens, pour qu'ils deviennent non seulement inoffensifs mais futiles et nuls. Cela est très grave. Il n'y a pas de conspiration plus grande que celle qui est menée contre les mots. Cela pourrait s'appeler l'échec de Prométhée. Cela s'appellera un jour l'échec, le très-grand-échec-de-Prométhée. Évidemment, cette situation me désole infiniment et participe largement à mon malheur. La conspiration contre les mots, qui est la pire-conspiration-de-toute-l'histoire-de-l'humanité, occupe mon esprit jour et nuit et ne me laissera de repos que dans la mort. Quand j'ai pleinement conscience de ce complot subversif, je ne puis souhaiter que ma propre fin. Un esprit, comme le mien, pleinement conscient de cette machination anti-historique, ne peut souhaiter que sa propre extinction, l'anéantissement de sa propre conscience, voyez-vous?

Pardonnez-moi mes égarements, mais sans eux, je ne pourrais plus exister. Sans vous non plus, d'ailleurs. Vous n'êtes pas entrée dans ma vie par hasard. Il m'a suffi de vous voir pour savoir. Quand vous êtes arrivée, j'ai tout de suite su de manière intuitive. Ce monde n'accorde plus beaucoup d'importance à l'intuition qu'il confond avec l'impulsivité ou l'ignorance ou la superstition. Cela aussi fait partie de la conspiration. L'intuition est un savoir que nous portons en nous. De tout temps, l'intuition fut considérée ainsi. De tout temps, sauf aujourd'hui où nous assistons à la liquidation systématique de notre héritage. Quand vous êtes entrée, je portais en moi un savoir que votre présence a révélé. C'est le propre de la présence que de dévoiler des savoirs enfouis et que l'intuition exhume. Toute la richesse du monde est contenue, non seulement dans les mots, mais aussi dans le jeu incessant de la présence et des savoirs. La prochaine grande conspiration s'effectuera contre ces deux indispensables entités. Cette conspiration est déjà amorcée, d'ailleurs. Par l'intermédiaire de la conspiration-contre-les-mots-et-l'intuition, s'établissent les bases de la conspiration-contre-les-savoirs-et-la-présence-au-monde. Les rois régnaient sur les peuples en tenant leur pouvoir de Dieu pendant que l'homme cherchait à naître. Ses premiers balbutiements furent aussi sépulcraux que les derniers du Christ. Le fils de l'homme avait bien transmis son message. Pour couper la tête des premiers, il fallait remettre ce dernier en question. Tout cela, même maintes fois récupéré, a encore une fois secoué le fragile vaisseau de la volonté humaniste. Et évidemment, les flots, qui secouent les navires, permettent d'identifier la nature de ces rats qui sont toujours les premiers à les quitter. Dieu mort et la tête du roi coupé, le pouvoir a été partagé entre les supposés représentants de Dieu et les détenteurs fondés de la force militaire tous soumis à des impératifs économiques par une réification générale de l'existence.

Quand vous êtes entrée, votre présence, votre unique et — je puis maintenant le dire — votre transcendante présence m'a révélé des savoirs enfouis que nul autre être que vous n'aurait pu dévoiler. Toute une connaissance intuitive s'est révélée par ce seul jeu de votre apparition dans ce bistro. Cela, je ne le croyais plus possible. Je ne l'espérais même plus.

S'il faut trouver une raison, une origine quelconque à notre relation, prétextons alors le cosmos. Je n'ai de foi religieuse que pour ce cosmos, concept inimaginable, mais d'un indispensable secours. L'homme a commencé à conquérir l'espace en s'imaginant qu'il s'agissait du cosmos, afin d'instaurer une nouvelle confusion qui s'étendrait cette fois-ci à tout l'univers. Croit-il que, si la confusion qui est dans sa tête s'étendait à tout l'univers, cela rachèterait son absurdité ? La découverte de l'espace, quelle aberration ! Il devrait plutôt parler d'un nouveau débouché pour une industrie touristique cotée à la bourse. Quelle façon de ne pas voir la réalité en face, sa méprisable réalité !

Quelle importance! Est-il en train d'oublier que l'univers oubliera son passage et que lui, bien avant les étoiles, s'éteindra à jamais et que son extinction passera totalement inaperçue. Lui, il aura disparu depuis longtemps et les étoiles continueront leur marche folle pour marquer le temps, un temps qui s'écoulera comme avant, mais en son absence. Je vois d'ici ses stations spatiales polluant l'univers après la signature de traités sur l'Universalisation-du-commerce, la formation de la plus-grande-zone-de-libre-échange et l'Universel-accord-mégalatéral-sur-l'investissement. Les grandes transcosmiques pétrolières et toutes leurs sœurs entretiennent déjà une indigence, toute démocratique, et un accroissement démographique terrien dans l'éventualité où la NASA ne recevrait jamais de réponses affirmatives à ses messages pour détecter une intelligence quelque part parmi les étoiles, une intelligence à pressurer dans la servilité.

Dans l'univers, rien n'est plus fou que l'esprit de l'homme que la merveilleuse folie des étoiles à se consumer sans contrepartie fascine et effraie. L'homme est plus fou que les étoiles parce que celles-ci le mystifient et que le destin de l'homme ne parviendra jamais, malgré ses prétentions, à affecter la marche d'une seule étoile. Telle est la loi de l'univers. Une loi dure et implacable, une loi faite pour les hommes et le sort qui les attend, qu'ils le méritent ou non, car nous n'avons pas à juger de ces choses.

En fait, cette conspiration-contre-les-mots ne peut être menée à bien que si l'homme parvient à mener à la fois une conspiration-contre-les-savoirs-et-la-présence, contre le cosmos-en-général. Bien petit, l'homme a commencé par s'attaquer à la nature et à l'environnement terrestre. Il le fallait, c'est la base de l'économie. L'expérience lui a réussi et ses ambitions ont grandi. L'homme est toujours infiniment plus petit que ses ambitions mais cela, non seulement il ne le sait pas, en fait, il s'en défend totalement. Cela ne fera évidemment que précipiter sa chute. N'allez surtout pas penser que je souhaite l'extinction de l'espèce dite humaine. Je l'ignore et lui demande d'en faire autant. Mes coudées sont franches. Je n'attends plus rien de mes contemporains parce que je n'attends plus rien de l'espèce que je voudrais voir disparaître. Je suis fou, pensez-vous ? Bien sûr que je suis un dingue. On le serait à moins, vous ne pensez pas ? Mais, ce qui me différencie des autres aliénés fonctionnels est que j'apprends à assumer cette folie. Car, quand je vous parle d'art, je vous parle aussi d'apprentissage. Il n'y a pas d'art qui ne soit à la fois apprentissage. Évidemment, là-dessus aussi, l'homme est parvenu à semer la confusion, à répandre la méprise en dehors de son cerveau et jusque dans les productions dites artistiques. L'art est apprentissage et l'art universel est apprentissage pour tout l'univers.

Ma plus sérieuse hantise, ma profonde angoisse serait que ce manuscrit s'inscrive lui aussi dans la conspiration-générale-contre-les-mots. C'est ma plus solide obsession. Participer malgré moi à ce que j'appelle la grande-conspiration-contre-les-mots représenterait l'effondrement de ma dernière illusion et signifierait ma fin. Je n'ai évidemment pas à vous dire quoi faire de cette lettre. Comme s'il s'agissait d'un premier roman, c'est mon ultime illusion. Pour vivre, l'illusion est beaucoup plus importante que l'eau ou la nourriture. Un homme peut vivre un certain temps sans nourriture ; on peut aussi le priver d'eau ; l'eau demeure plus importante que la nourriture, mais s'il a perdu toutes ses illusions, on peut le gaver d'eau et de nourriture, il ne survivra pas. Que cette lettre s'inscrive un jour dans la grande-conspiration-contre-les-mots constitue ma hantise permanente. Pas une lettre de l'alphabet que je n'aligne sans que cette obsession demeure présente à mon esprit et vienne le troubler. Cette conspiration agit avec une telle efficacité qu'elle m'empêche depuis plus de vingt ou trente ans — je ne sais plus très bien — d'écrire. Ce n'est pas le fruit de mon imagination ; la conspiration est effective et ses effets dévastateurs se font sentir jusque dans mes nuits. Heureux l'homme que j'étais quand l'absence de la femme que j'aimais rendait mes nuits insupportables. Je ne pouvais, à l'époque, imaginer pire supplice. Comme j'étais naïf et crédule ! Comme j'étais imbécile, aussi ! On ne doit pas tout mettre sur le dos des femmes. Dans notre malheur, puisqu'elles nous mettent au monde, elles ont une part effective de responsabilité mais, si cela constitue la part fondamentale, il existe une part que l'on pourrait dire accessoire, une part de responsabilité accessoire qui n'a rien à voir avec les femmes même si elles nous donnent jour. Vous nous donnez le jour mais nous ne découvrons que la nuit. Enfant, tout n'était que crainte. Le jour, la nuit, tout n'était qu'angoisse. Au premier jour de mon existence, je fus mis immédiatement en contact avec la terreur, une terreur banale et incommunicable, une terreur quotidienne, la terreur de la réalité quotidienne. Parce qu'il n'en a pas le choix, l'enfant fait des efforts insurmontables pour naître et aussitôt qu'il a vu le jour — quand on le considère cliniquement né et qu'on remplit le formulaire comme plus tard on le considérera cliniquement mort et qu'on remplira le formulaire —, il n'est pas jeté dans les bras de sa mère comme il le souhaiterait, mais dans les bras de la terreur qui porte le nom de médecine, mais qui n'est, en fait, que la première terreur qu'il affronte. Bien sûr, la conspiration-contre-les-mots fait que la terreur médicale ne porte pas ce nom mais celui d'assistance-à-la-naissance. Et toute la vie de l'enfant sera par la suite parsemée d'assistances qui n'oseront jamais dire leur véritable nom. Assistance pour ceci, assistance pour cela, assistance contre ceci, assistance contre cela. Pour l'éducation, pour le travail, pour la reproduction, pour la société, pour toute la vie ; contre l'ignorance, contre l'ennui, contre la solitude, pour la société, pour le régime, pour-le-capital-et-pour-toute-la-vie-jusque-dans-la-mort. Et tout cela, évidemment, sous le règne de la terreur qui tait son nom quand elle ne parvient pas à simplement le falsifier.

Nous vivons dans un monde insidieusement terrifié. Si insidieusement que celui qui l'affirme passe constamment pour un arriéré pessimiste et frustré. Comment garder son sang froid devant la réalité d'un tel univers? Beaucoup de gens le perdraient à moins, s'ils n'avaient pas déjà perdu depuis longtemps le sens le plus élémentaire de l'orientation. Je suis fou, je vous l'ai dit. Mais, je ne vous ai pas encore parlé de ma folie, telle qu'il m'arrive de la concevoir. En fait, cet état d'être, que j'appelle folie, est un état d'esprit unique et irremplaçable. Un état particulier qui me permet d'être en contact, à la fois, avec l'insanité du désespoir qui se trouve sous mes pieds et l'espérance infinie que me suggère la contemplation des étoiles. Pour d'autres civilisations, nous parlerions de sagesse.

Longtemps, j'ai dispensé ma mère de la responsabilité de son acte ou de son insouciance. On ne doit pas tenir rigueur aux gens pour des actes qui dépassent leur entendement. Le pas que nous franchissons vers Dieu suit les chemins du pardon que nous sommes prêts à accorder à notre mère, c'est-à-dire à celle qui, la première, nous a outragés. Toute l'histoire du péché originel et de la culpabilité est liée à l'erreur fondamentale de notre mère de nous avoir donné la vie alors qu'il aurait été mille fois préférable que nous demeurions dans les limbes. Notre mère, pour nous donner le jour, nous précipitait en pleines ténèbres. Penchée sur notre berceau, elle nous regardait avec tendresse et cette tendresse révélait, en fait, qu'elle ne se penchait que sur l'abîme de sa propre existence, de son propre désespoir, de ses propres ténèbres. Malheur parmi les malheurs, elle s'est laissée emporter à croire qu'il lui serait possible d'engendrer autre chose que l'affliction et la misère. Quelle illusion! Elle est la première victime du péché de prétention et nous a transmis le péché-de-prétention comme on se refile des maladies qu'on dit transmises sexuellement. Toute l'origine de la notion de péché se trouve ici, transmise sexuellement dans la promiscuité domestique. C'est le propre des êtres sexués que de se reproduire dans la-promiscuité-domestique, mais ce faisant, ils se transmettent aussi leur maladie et leur péché et comme rien n'échappe à la transmission dite sexuelle, les maladies, les crimes et la bêtise se trouvent implacablement propagés. Cela aussi constitue ce que nous pourrions appeler notre lot. Ce lot, en premier, nous est transmis sexuellement et immanquablement. Il nous colle à la peau comme un cancer. Et ce cancer, ce cancer de la vie que nous lèguent prioritairement nos parents à l'intérieur de la-promiscuité-domestique, constitue probablement notre seul héritage, le seul qui ne nous sera jamais consenti.

Le jour où nous nous sommes rencontrés. Que dis-je ? Le jour où je vous ai rencontrée, car vous ne m'avez même pas vu et je ne crois pas que vous ayez un jour l'occasion de me voir. Ce n'est pas parce que nous ne nous rencontrerons jamais que nos chemins ne se sont pas croisés. Bien sûr, nos ellipses se sont effleurées, mais nos vies seront certainement trop courtes pour que cela se reproduise une autre fois. Les ellipses que les êtres empruntent sont plus imposantes que ces vies qui leur échappent ; elles occupent plus d'espace et de temps que nos existences ne parviendront jamais à contenir. Quand nous parlons le langage des étoiles, quand nous élevons notre discours au niveau du cosmos, tout cela devient sans importance. Seul compte le fait que nos chemins, un jour, sous une bonne ou mauvaise étoile, se sont croisés et, un jour, cette étoile nous apparaîtra bonne et, le lendemain, nous la maudirons. Il faut éviter de se mettre dans une situation où l'on maudirait les étoiles. Nous n'avons pas le droit de jurer contre elles. Constatons leur existence, mais ne jugeons jamais leur marche folle pour marquer le temps. Elles brûlent peut-être inutilement sans parvenir à éclairer nos nuits et leur réalité est peut-être vaine à incarner le sablier de l'humanité. Non, les étoiles ne brillent pour personne. Les étoiles brillent pour elles-mêmes sinon pour qui brûleraient-elles ? Si l'homme, la nuit, s'interroge en contemplant les étoiles, je ne crois pas que les étoiles aient le souci de l'homme. Évidemment, nous commettons une injustice fondamentale quand nous voulons juger les étoiles en les qualifiant de bonnes ou mauvaises. Les étoiles existent abstraction faite de notre jugement. Elles brûlent parce qu'elles n'ont rien d'autre à faire et, si elles brûlent pour l'homme, ce ne peut être que bien accidentellement. L'homme est lui-même un accident de la nature. Car si la nature, qui n'a rien prévu, avait pu prévoir l'homme, elle se serait organisée pour qu'il ne voie jamais le jour. Elle aurait éliminé ce prédateur de son programme. Mais, à cet égard, la nature ne s'est révélée que pure faiblesse. L'homme la présente comme divinement organisée et tout aussi providentiellement forte, mais cela ne sert qu'à dissimuler sa grande faiblesse de l'avoir intégré à son programme. Si la nature avait été aussi superbement organisée qu'il le prétend, il ne serait pas là pour en témoigner, pour s'en prévaloir et pour entretenir avec elle un conflit perpétuel, une relation conflictuelle fondamentale. L'homme entretient avec la nature une relation conflictuelle fondamentale et tout se déroulerait passablement bien, s'il n'était pas là pour y foutre le bordel. La nature — comme les étoiles — se suffit à elle-même. Seul, l'homme n'arrive pas à se suffire à lui-même. L'insuffisance est son malheur et ce malheur, il tente de le généraliser et sa suffisance, à cet égard, représente un malheur encore plus grand et plus dévastateur.

Le point ultime de cette lettre sera catégorique. Je me livre entièrement à vous. Pourquoi? Je l'ignore. Parfois, ma concentration est si forte que je frissonne et des tremblements me secouent. Je suis une bête d'émotions traversée par de puissants trémolos de glaciers. Je ne crois pas que je survivrai à toutes ces énonciations qui constitueront mon unique et véritable somme. Mon seul désir sera bientôt de me confondre aux étoiles. De brûler follement comme elles, en elles, par elles et avec elles.

Vous savez, je crois que l'homme est le grand coupable de la création. Comme il lui fallait un juge pour mieux se disculper de sa méfiance à l'égard de l'autre, il a inventé

Dieu. Sa religion devenait gardienne d'une morale trafiquée qui sanctionnait, par une logique tordue, l'exploitation tous azimuts de l'homme par lui-même. Tous égaux devant Dieu et, en attendant, satisfaisons-nous de déclarations universelles pour paver notre enfer. Quel monde triste à mourir !

Enfant, je croyais que la vie m'était possible. À cette époque, si je n'avais pas cru la vie possible, j'y aurais mis immédiatement fin. Les enfants ne badinent pas avec la vie. Elle est possible ou elle est impossible. Tout ou rien. Les enfants n'acceptent pas la médiocrité parce que celle-ci ne fait pas partie de leur environnement cérébral et n'en fera jamais partie. Tout ou rien, disent les enfants, et ils ont entièrement raison. Plus tard, bien sûr, ils deviennent aussi médiocres que les parents qui les ont engendrés. Il faut bien qu'ils se reconnaissent quelque part, les pauvres.

Par contre, l'homme n'entreprend rien d'important s'il ne l'entreprend en état de grâce, lors de la réunion de ces conditions où tout lui semble possible malgré lui. L'instant où son moi s'efface devant ce qu'il croit avoir à faire. En état de grâce, tout lui devient possible même, et surtout, particulièrement, la réalisation de son être propre. Parce qu'il aspire à devenir Dieu, l'homme investit tout dans ses œuvres jusqu'à ce que son être se confonde à celles-ci. Tel est son destin et tel est son devoir le plus impérieux. Telle est aussi la tragédie de sa vie. Son destin est à l'image de sa vie ; tragique et incompréhensible ; tragiquement incompréhensible et incompréhensiblement tragique. Quand l'homme observe les étoiles, il réussit à avoir ce que nous pourrions appeler un moment de répit ; sa vie change alors de dimension. Il regarde l'univers du point de vue qui lui est accordé et il apprécie ce point de vue parce qu'il le sait unique, irremplaçable et privilégié. Il ne se perçoit pas comme heureux ou satisfait pour autant ; il se trouve simplement en état de grâce. Une saine paix l'envahit ; il réalise alors l'équilibre entre sa raison qui ne veut plus rien expliquer et son imagination par laquelle il se laisse porter comme un enfant. Il vient de découvrir l'instant présent et se laisse absorber par lui. Pourquoi aller dans les étoiles, se dit-il, si c'est pour y exporter mes angoisses et ma démence? N'est-il pas préférable que je demeure à ma place, si humble soit-elle, et que je les observe en silence, sans aucun commentaire. Et quand l'homme arrive à cela, c'est déjà qu'il est artiste. L'artiste est celui qui, en toute humilité, prend la place que l'univers dans son infinie bonté lui accorde. Non, je sais, l'univers n'est ni bon ni mauvais. Seuls les hommes parviennent à être soit l'un soit l'autre et dans la plupart des cas, ils sont toujours plus mauvais que bons et il leur arrive même d'être carrément méchants. Heureusement, l'univers poursuit sa marche et se passe bien de nos commentaires moraux.

Peut-être cet homme a-t-il bien fait de vous quitter. Si nous sommes responsables de nos actes, nous n'agissons jamais en connaissance de cause. Cet homme vous aimait trop. Et cet amour devait vous peser. J'ai connu un amour semblable. Cette femme m'aimait tant que je m'en suis lassé. On aurait dit que toute sa volonté se mettait au service de sa relation avec son homme et cet homme-là, c'était moi. Toute sa volonté s'exerçait à être au service de sa-relation-avec-son-homme. Cela n'est pas bon. Elle l'a appris à ses dépens. Quand une femme rencontre un homme et qu'elle délaisse ses amies, il faut se méfier d'elle. Cela constitue un mauvais présage. Cela signifie déjà qu'elle met tous ses œufs — et je n'ironise pas — dans le même panier. Il y a plus de connaissance, de science et de vérité dans les expressions dites populaires qu'il n'y en aura jamais dans les plus élaborés essais de phénoménologie ontologique. Si un jour vous avez du temps à perdre, ouvrez à n'importe quelle page un de ces ouvrages. Vous n'aurez pas lu deux lignes que vous me donnerez raison. Il ne faut pas prendre ces ouvrages trop au sérieux; qu'ils nous servent à la gymnastique intellectuelle et cela suffit. Je n'ai toujours pris ces ouvrages que pour l'exercice intellectuel. Les samedis matin, sous le double effet du café et du tabac, je confrontais mon esprit aux élucubrations les plus tordues. Les propriétés du tabac et du café favorisent les divagations matinales et les déraillements cérébraux. L'alcool aussi, bien qu'avec ce dernier il faille être plus prudent. J'en sais quelque chose. Ces écrits sont excellents pour l'esprit, sans plus. Quant à leur sérieux, il faut laisser cela aux spécialistes-de-la-pensée-du-discours-et-de-ses-pirouettes-intellectuelles, dont l'esprit est souvent plus tordu que les esprits qui ont engendré ces écrits. Quand une femme délaisse ses amies pour être avec son homme, il faut se méfier d'elle et, comme elle ne conservera souvent qu'une seule amie, car il le faut bien, il faudra se méfier aussi de cette amie. C'est très exactement ce que raconte votre amant.

Les contraires s'attirent. Votre amie posait et vous pas. J'ai été attiré par votre personne. Je crois que vous constituez un double inversé de moi-même. En regardant votre photo, en lisant les lettres, en examinant vos papiers, j'ai reconstitué, il me semble, toute votre existence qui est en tous points contraire à la mienne. Nous n'avons qu'une étrange chose en commun, qu'un élément troublant. Pour le reste, tout est antinomique. Vous êtes une femme de carrière ; rien ne m'est plus étranger qu'une vie consacrée à sa promotion personnelle. Jamais, je n'ai pu penser ma vie en termes de carrière. Cela m'est totalement étranger. Je ne possède aucun mérite : cela n'a jamais fait partie de mon être. En fait, comme j'ai pensé entreprendre presque toutes les carrières — elles m'intéressaient vraiment toutes —, je n'ai pu me décider pour une aux dépens d'une autre. Je ne suis jamais parvenu à arrêter mon choix sur un métier particulier ou une profession précise. Adolescent, je voulais devenir chercheur-scientifique-de-mon-époque pour participer aux découvertes scientifiques mais, après un certain temps, je trouvais que ce serait là rater ma vie. Je me disais : *Si tu optes pour la science, tu te retrouveras enfermé dans le discours scientifique et tu passeras à côté de tout le reste. Tu verras la vie dans les termes de la science, mais ce n'est pas la vie que tu verras, tu ne verras que la science dans la vie. Tu croiras aimer une femme mais, en fait, tu n'aimeras que ta science de la femme et que la science que tu t'appliqueras à définir de l'amour d'une femme. Comment partageras-tu l'espace qui sépare l'objet observé du sujet qui observe et comment, quand tu seras à ton tour objet, réagiras-tu devant le sujet ? L'amour, du point de vue de la science, demeure un mystère. Alors, vaut mieux t'abstenir de la science, si tu ne veux pas rater ta vie en passant à côté de l'amour.* Alors, j'optais pour autre chose ; je disais : *Je serai philosophe.* Je lisais différents auteurs, tous des philosophes, et tous ces philosophes à l'exception d'un seul parvenaient à me faire changer d'idée et à me faire pencher pour un autre métier. Je me disais alors : *Être philosophe t'amèneras à ne voir la vie, le monde, la femme et les enfants qu'en termes de concepts froids et inhumains ; ce seront des êtres faisant partie de l'étant à travers le temps menacés par le néant. Tu ne verras que cela, ce qui équivaut à dire que tu ne verras rien du tout, que tu passeras à côté de tout et, ce qui est pire, à côté de toi-même et de l'amour. Il doit bien exister des métiers plus respectables.* Si bien que tous les métiers que j'ai exercés n'ont jamais rien eu à voir avec mes aspirations d'adolescent. J'ai enseigné mais ce fut par accident. Durant ces trois années pendant lesquelles j'ai enseigné, je considérais ce métier comme le plus beau métier du monde. Mais, à l'exercice, je découvrais que le plus-beau-métier-du-monde se pratiquait à l'intérieur de l'institution-la-plus-sclérosée-du-monde associée à l'entreprise la plus vaine quand elle n'était pas tout simplement ignoble, car il s'agissait d'une entreprise généralisée d'escobars. Alors, j'ai quitté l'enseignement pour faire de la photographie. J'ai adoré la photographie. J'ai passé, seul, des milliers d'heures en laboratoire et ces heures m'étaient heureuses et fort précieuses. Puis un jour, sans que rien ne le laisse présager, je me suis détaché de la photographie et j'ai exercé d'autres métiers et parmi eux le principal-métier-de-ne-rien-faire. Alors, je travaillais sur moi. C'est à cet instant que j'ai songé au métier d'écriture. Durant toute une année, j'ai réfléchi à la pertinence d'adopter ce métier. Aurais-je l'ego amplement développé, suffisamment fort et solide, pour tout critiquer en ayant l'air de dire aux autres ce qu'ils devraient faire et en ne faisant rien d'autre ?

Je serais là à pleurer sur mes déceptions, à ruminer mes frustrations, à rabâcher sans cesse sur les mêmes thèmes mes espoirs déçus, à refaire le monde comme un pauvre guignol qui se regimbe au-dessus de la main qui l'agite. Là, à croire à la magie et au pouvoir des mots, de mes mots, plus qu'aucun lecteur n'y parviendra jamais. Romancier, j'arriverais à intéresser mes semblables par des acrobaties verbales et j'empoisonnerais l'existence de mes proches en leur tambourinant sans arrêt ma superbe individuation et l'éminente particularité de mon expérience littéraire. Et comme tous les romans qui se respectent, mes romans se devraient d'être ironiques. Nous savons tous que l'ironie est le nerf moteur du roman, sa plate-forme d'exploitation, son environnement général et sa ligne de conduite. Dernier retranchement de la liberté d'expression, c'est vers le roman que se porteront bientôt, si ce n'est déjà fait, les assauts des bien-pensants. Vous savez, ces individus qui traversent la vie, en tenant fermement la main de leur gros bon sens et en se raccrochant aveuglément à toutes les rengaines étatiques. Ces gens qui, pour ne pas défier leur sentiment de satisfaction, rabaissent d'un cran, une fois tous les quatre ou sept ans — mondialisation s'impose —, leurs idéaux de justice de jeunesse au rang d'ambitions domestiques. Bien installés dans leur caverne feutrée, ils ne pensent plus qu'à veiller à l'entretien du feu, à protéger une progéniture qu'ils considèrent d'emblée génétiquement exemplaire, à transformer en exploit intellectuel le plus petit gaga réflexe de cette progéniture, à s'aimer eux-mêmes à travers leur amour exacerbé de leur enfant quand, tout compte fait, le grand mérite de leur rejeton aura été d'avoir compris comme eux l'utilité d'aller voter tous les quatre ou sept ans.

Quand ils ne sont pas eux-mêmes fonctionnaires, cette idée de bons citoyens leur est fournie par les fonctionnaires. Il faut bien savoir que, dans ces grands ensembles, chacun, qu'importe ce qu'il fait, travaille à fabriquer son être social. Le bien-pensant est évidemment celui qui y parvient le mieux et l'État le récompense en accordant de la crédibilité à sa parole qui n'est naturellement qu'un tissu de truismes que l'État aime d'autant mieux entendre qu'il lui sert de souffleur. L'homme ne tient vraiment pas du raton laveur.

Il y a plusieurs années, j'habitais près d'un lac dans les Laurentides. Tous les soirs, un raton laveur effectuait sa ronde dans l'espace que j'occupais et qui faisait partie de son territoire. J'imagine que lui et ses ancêtres étaient là bien avant moi. Un jour, je pêchai six crapets-soleil pour les lui offrir. Le soir venu, vers les vingt-deux heures, je l'avais attendu une quinzaine de minutes et, quand il se présenta, je lui lançai un premier poisson qu'il prit pour aller manger près de l'eau. Quand il revint, je lui en jetai un autre plus près de moi, puis un autre encore plus près, toujours plus près. Je tins le dernier poisson à bout de bras. L'animal s'arrêta et attendit à un mètre de moi que je le lui lance. Soudainement, il regarda le poisson et me fixa dans les yeux. Il venait de comprendre que je l'invitais à manger dans ma main. Sa réflexion dura une quinzaine de secondes pendant lesquelles nos regards ne se quittèrent pas. Puis, constatant que j'avais compris qu'il ne mangerait jamais dans la main de l'homme, il se retourna et partit vers la rive. Le raton laveur est un animal respectable, plus respectable que tous les crapets que vous croisez dans les bars. J'avais renoncé à mon absurde-illusion-de-l'apprivoiser. Raton laveur et blaireau ne seront jamais des animaux de cirque. Il m'a bien dit, ce raton-là, que la nature devait rester à sa place. Quelle leçon d'humilité pour qui veut conquérir les étoiles. La prochaine fois que vous irez dans un zoo, rendez-vous immédiatement à la cage du blaireau. Il utilise toute son énergie pour haïr l'homme qui l'a mis en prison. Il crache sur lui et maudit sa progéniture. Il est une leçon pour l'homme. Il le pointe comme animal-spécialiste-des-prisons et le déteste pour cette grande perversion. Il le maudit, lui et son engeance. Tenter de dominer la nature sous prétexte d'être le joyau de la création d'un dieu qu'on a soi-même inventé, c'est vraiment le comble de l'asthénie. Après on se demande comment cet être, ce joyau-de-la-création, éprouve tant de difficulté à prendre sa place. Il croit au dieu qu'il s'est déjà résigné à ne jamais être. Quelle pitié il m'inspire ! Quand cela devient le seul et unique objet de mes préoccupations, je ne peux m'empêcher de pleurer. Le sort de l'humanité devient alors le seul-objet-susceptible-de-m'arracher-des-larmes. Comme je voudrais voir l'humanité exister comme on m'a appris à croire en sa possibilité d'existence. Vous savez, parfois, j'oublierais toutes ces histoires d'animaux. Comme j'aimerais voir l'homme apparaître. Se lèvera-t-il un jour ? Jaillira-t-il de son carcan de poisse ? Qu'attend-il pour se mettre au monde ? La permission du Dieu qu'il s'est donné ? Comme il a raison de craindre son semblable, lui qui ne sera jamais qu'une pâle image de ses désirs, une triste copie de ce qu'il aurait pu être. Aurait-il inventé l'impitoyable pour se convaincre de sa propre exis-tence ? Dieu qu'il peut être misérable. Apprendra-t-il un jour à s'aimer ? Sa méfiance dépassera-t-elle les frontières de sa progéniture ? Parviendra-t-il lui-même à s'aimer un jour ? Toutes ces réflexions, madame, me font sortir de mes gonds et me dépriment jusqu'à l'os. Je suis prêt à être clément envers l'espèce humaine, mais mes gestes ont la grâce de l'ours polaire, mes gestes et mes propos. On ne peut jamais parler de l'homme sans revenir aux animaux. L'animal est ce point de repère duquel on se défend toujours. Vous savez, quand vous irez au zoo, près de la cage du blaireau se trouvera celle de l'ours polaire. Celui-ci exprimera différemment sa haine de l'animal-spécialiste-des-prisons. Cet ours ne montre aucune irritation. Il semble se défier de l'homme en imprimant à ses mouvements la grâce des ballerines. Lourd, jamais balourd, son dandinement est un hymne d'élégance, de délicatesse et de raffinement. Avec quelle aisance il plonge et se laisse glisser sur l'eau !

Les plus beaux métiers sont ceux qui en appellent à une science et exigent que nous les pratiquions avec art, et la beauté d'un métier ne relève pas autant du métier en soi, mais bien plutôt de l'attitude de celui qui l'exerce. Si nous n'avions pas les arts et les métiers pour occuper nos vies, nous deviendrions vite fous car, même avec les arts et les métiers pour occuper nos esprits, la plupart des êtres déraillent et finissent par sombrer dans la folie. La carrière est une autre chose ; je pense évidemment à la carrière pour la carrière comme cela se pratique couramment de nos jours.

Je vous ai dit que je ne pourrais exister sans vous. Cela n'est que pour le temps de cette lettre, un temps qui se cristallise au fil des pages. Comme un chronomètre, au bout de sa course, après l'épuisement de la tension de ses ressorts ; le temps du texte s'interrompra avec sa livraison et s'arrêtera aussi tout ce qui l'entoure, tout ce qui l'aura rendu possible, tout ce qui en aura été sa raison et sa grande déraison, dans l'élan entropique de la vie. Quand je vous ai vue entrer dans ce bistro, j'ai tout de suite compris que ce n'était pas l'effet du hasard. Quand les gens disent que le hasard fait bien les choses, ils n'affirment pas autant qu'ils nient ce même hasard et son importance effective dans nos vies. Les dictons populaires ne disent pas toujours la vérité ou quand ils la disent, ils la disent parfois par son contraire. Le hasard ne fait jamais bien les choses et quand il les fait bien, c'est-à-dire à notre convenance, ce n'est que parce qu'il s'est retiré pour laisser sa place à la nécessité. Le hasard et la nécessité ne sont que des variantes complémentaires d'une même réalité. Je vous ai rencontrée par hasard, mais ce hasard cachait toute la nécessité de notre rencontre. Elle est sa contrepartie non immédiatement révélée, sa contrepartie médiatisée et révélée par la suite des événements. Mais elle est indissociable du hasard, car ce que nous appelons le hasard n'est au fond que cette forme inattendue que prend la nécessité. Et la nécessité n'est, au fond, qu'une forme nécessaire de hasard. Quand un homme et une femme deviennent amoureux l'un de l'autre, ils ont tous les deux l'impression qu'un monde nouveau leur ouvre ses portes mais il n'en est rien : ce monde nouveau était déjà contenu dans l'ancien ; l'un et l'autre portaient déjà en eux une prédisposition à tomber en amour et deux prédis-positions qui se croisent favorisent toujours l'émergence d'un monde nouveau. On ne se reproduit pas par hasard même si tout semble se passer ainsi, c'est-à-dire sans que nous en ayons pleinement conscience. Quand nous perdons la conscience de la nécessité — et nous la perdons tous —, nous nous rabattons sur le hasard. Quand je vous ai aperçue, j'ai immé-diatement évoqué le hasard. La suite des choses m'a révélé que j'étais dans l'erreur. La vie est trop courte pour que nous laissions le hasard en définir les avenues.

Mouvements 2

J'ai aussi remarqué que vous ne fumiez pas. J'aime les femmes qui ne fument pas. Je vous préfère évidemment à votre amie qui semble être votre exact contraire. Je suis toujours plus attiré par les non-fumeuses mais je ne puis en donner la raison. Ce n'est pas que je ne puis supporter l'odeur et la fumée du tabac. J'adore le tabac et je considère qu'il s'agit là d'une des bonnes choses de la vie. Souvent, je me lève la nuit pour fumer une cigarette. Je devrais dormir et je ne demande qu'à me reposer, mais mon esprit reprend le dessus et je m'éveille. Alors je quitte précipitamment mon lit. Il m'est impossible de demeurer couché quand je suis éveillé. Je me lève et descends dans mon cabinet de travail et je serais seul, véritablement seul, si je n'avais pas mon tabac. Je ne manque jamais de tabac. Je ne dois jamais manquer de tabac. Si je m'éveillais la nuit et ne pouvais contrer le gouffre de ma solitude en me raccrochant à mon tabac, j'en mourrais, je crois. Je me lève, je suis seul et me sens seul, je mesure toute l'ampleur de ma solitude ; ce trou béant dans la nuit et la rue, que j'observe dans le noir, m'absorberait tout entier si je n'avais mon tabac. Alors, je m'assois dans mon fauteuil, je m'installe à mon bureau de travail sur lequel je n'effectue aucuns travaux, j'allume une cigarette et la rue, la nuit, le gouffre de ma solitude disparaissent comme si je me trouvais en plein océan. La rencontre de l'océan représente la grande leçon d'humilité que nous devons chacun recevoir un jour ou l'autre. Quand nous observons les étoiles, nous recevons aussi cette leçon d'humilité. Quand nous sommes entourés d'eau, sur nos îles flottantes, nous ne découvrons que la modestie et la simplicité qui nous raccordent à l'univers. Le tabac me permet ce ressourcement nocturne que rien ne pourrait me procurer. Je ne me couche jamais le soir sans avoir vérifié mes provisions de cigarettes. C'est une question de vie ou de mort pour moi. Si jamais je m'endormais la nuit en n'ayant pas vérifié ma provision de tabac et que je m'éveillais — comme il m'arrive toutes les nuits — et que je constatais que je n'ai plus rien à fumer, cette erreur pourrait m'être fatale. Je deviendrais fou. Je sombrerais tout entier dans la folie, je perdrais le contrôle de mes émotions et mettrais ma vie en danger. Quand je m'éveille le matin, le goût du tabac m'incite à quitter mon lit ; ma première cigarette me tire de mon lit. Cette première cigarette, que je n'allume méthodiquement qu'après avoir avalé une première gorgée de café, me réconcilie avec le monde. Inutile de vous dire que cette réconciliation ne dure que le temps de la première cigarette et du premier café. Il n'en demeure pas moins que si je n'avais pas cette cigarette pour affronter une nouvelle fois le monde, ce monde et la vie dans ce monde me seraient totalement impossibles. Vous savez, toute cette campagne d'État contre la cigarette n'est qu'une immense fumisterie ? Sous prétexte qu'il a le souci-de-la-santé-des-gens, le gouvernement fait campagne contre le tabac qu'il taxe et surtaxe. Ensuite, il dilapide le revenu de ces taxes en propagande de toutes sortes contre la cigarette, mais aussi pour l'unité de ce qu'il voudrait voir être, comme par magie, un pays, un pays uni, un pays sans conflit ni pauvreté, ce pays enviable d'Amérique du Nord qui, toujours pris dans l'étau entre Washington et Londres, trafique sa conscience européenne en exécutant les tâches malpropres de son voisin américain. Un pays perclus aux tendances de droite, un pays de colons demeurés colons, un pays qui, par sa mascotte nationale, hausse au rang de vertu l'ignorance et la bêtise, un pays de compromis gênants qui achète la contestation, nie toute rébellion, un pays *low profile* désireux de faire partie du nec plus ultra des nations. Je ne parle pas de la terre de l'hésitation. Je parle de ce pays si idéologiquement endetté qu'il n'a pas les moyens de son orgueil, un pays qui tient à une constitution importée puis trafiquée, un pays qui demain risque de n'être même pas un pays en mal d'être, un pays par défaut et qui achète ses qualités par défaut, un pays frileux d'existence qui, par crainte du froid, va jusqu'à tripoter les règles élémentaires de la démocratie. Un pays qui, à l'ombre d'un empire qu'il vénère, s'efforce de défendre la spécificité d'une culture qu'il n'a pas. Un pays de spécialistes de l'échange, de producteurs de compromis, d'assis sur une plus-value qui leur échappe, d'hystériques de la feuille d'érable, d'obsédés d'un castor qui travaille à la cause en grugeant dans tous les sens la dignité des peuples; pays de producteurs de néant, pays du vide politique, pays essentiellement panoramique, historiquement décoratif, pays de prétentions qui s'est fait contre les États-Unis qu'il admire économiquement et craint culturellement. Patrie de la statistique bien faite qui se flagorne de son discours chiffré. Patrie de la non cause, de l'idéologie par omission d'idéologie, *no where* de la pensée indépendante, originale, sincèrement humaniste, un *no man's land* d'une volonté politique autre que nombriliste. Quand un pays adopte les pires compromis démocratiques pour sauvegarder l'idée que certains de ses représentants se font de son unité, s'il ne s'endette pas auprès de l'humanité, il demeure loin de participer à son respect. Encore aujourd'hui, un empire se constitue sur la croyance en un chaînon manquant entre l'homme libre et l'orang-outan, ce qui rend la liberté aussi divisible que l'atome. La puissance militaire que l'homme déploie demeure proportionnelle, les intérêts aidant, à l'idée qu'il se fait ou ne parvient pas à se faire de la liberté. Le dix-neuvième siècle a vu l'histoire réécrite à la lumière du jeu des intérêts économiques. L'humanité possédante s'en est trouvée d'autant plus menacée que la parution du premier tome du *Capital* coïncidait, à une année près, avec la fameuse découverte de Nobel. Il est prouvé que les grandes découvertes correspondent dans le temps aux grandes interprétations historiques. Sous le choc de remises en question du droit de propriété, on a vu la planète s'affoler durant toute la première moitié du vingtième siècle et, à l'aube du troisième millénaire, nous sommes en train de dire que la torpeur intellectuelle par médias interposés représente la solution souhaitée pour la gestion des grands ensembles. Ai-je besoin de vous préciser que cela constitue un recul sans précédent en regard de l'héritage historique.

Vous savez, si j'avais pu m'abstenir de fréquenter l'université, je ne m'en serais que mieux porté. Mais mon avide curiosité a toujours triomphé de ma volonté. Il me fallait aller vérifier la nature de l'activité spéculative. Quelle déception m'attendait! La réflexion théorique, comme une technique privée d'âme, là aussi n'existe plus que pour la forme. Comme pour nous raccorder à la terre et à ce que nous sommes, nous atteignons enfin les sommets tant recherchés de l'irrationalisme, ce grand miroir de notre tout aussi grande paresse. Cette croyance éthérée en Dieu permet de nous entretuer avec une garantie de salut basée sur le droit très terre à terre de la propriété. Possède ou meurs, c'est ainsi que Dieu le veut. Tout le reste n'est que baratin. Enfin, ce n'est pas dans les universités qu'on refait le monde.

J'y ai étudié la sociologie et la littérature. Ma formation en sociologie demeure évidemment beaucoup plus importante que celle en littérature. Comment l'université formerait-elle des écrivains qui seraient autre chose que des fonctionnaires de l'écriture, des techniciens du verbe? D'ailleurs, la littérature déforme plus qu'elle ne forme, elle déforme la réalité pour la rendre méconnaissable de laideur et inacceptable d'instinct. Évidemment, il faut être vraiment dingue pour devenir écrivain. L'individu peut se regarder dans le miroir et trouver son image agréable mais, quand son aspect homme de caverne lui apparaît dans le miroir de l'Histoire, cela affecte sa mémoire. Sommes-nous ici pour nous raconter des histoires? Pour claironner réellement que nous vivons dans le meilleur des mondes? Comme nous savons tous que cela est maintenant effectif, il ne sert à rien de se le répéter jusqu'à l'épuisement des cordes dites vocales. L'humanité a atteint son plus haut degré de développement dans le domaine, très réservé aux autres espèces, de l'irrationalisme. Voilà !

Je n'ai évidemment pas touché aux diplômes dits universitaires, c'est-à-dire aux papiers officiels de cette machine à prétentions. D'ailleurs, les colporteurs l'ont compris. Vous savez ces petits commerçants itinérants qui vous offrent différents objets dont vous n'avez aucun besoin, mais dont l'achat permet d'appuyer une bonne cause. Il y a à peine dix ans, ils se présentaient comme d'anciens détenus qui désiraient réintégrer le marché du travail donc la société. Des criminels récalcitrants, non professionnels, auxquels la justice ne demande qu'un aveu de regret. Il s'en est présenté un aujourd'hui pendant que je vous écrivais. Il se disait étudiant en marketing à l'Université du Québec à Montréal. L'individu était le même qui ressemble plus à un repris de justice qu'à un étudiant en marketing, mais il doit lui être maintenant plus profitable de se présenter ainsi. Or, s'il a dit vrai, nous pouvons dire que l'instruction de son incarcération aura été d'apprendre les principes de base de l'escroquerie de masse. Par contre, s'il a, comme je le pense, menti, cela nous renseigne sur la réputation de cette université. Elle est toujours l'université du peuple et, si les intellectuels n'ont pas fait plus de progrès dans la société, c'est tout simplement qu'ils ont reculé. Nageons dans le monde des évidences. L'occupation armée de 70 a pris tout le monde par surprise et, en premier lieu, les intellectuels. À agacer le bras du géant, ils ont réveillé le Géant lui-même. Enfin, je ne veux pas vous ennuyer avec la carrière intellectuelle que j'ai refusé d'entreprendre à la suite de cette intervention de l'armée canadienne dans le cadre des mesures de guerre. Après ces événements, le silence des intellectuels québécois a sanctionné celui des intellectuels canadiens qui pataugent pour défendre une spécificité culturelle des plus confuses, friables jusqu'à l'os. La crainte de plus grand que soi ne motive pas la création d'un pays. Cuba nous en donne l'exemple. Quant à sa dictature, allez savoir, vous, pour quelle raison on vous invite à voter?

En fait, le seul diplôme que j'ai reçu, je me le suis moi-même décerné. On ne me l'a jamais accordé. Il s'agit, pourrions-nous dire, d'un baccalauréat ouvrier. Vous ne connaissez pas? Ce type de baccalauréat est constitué de dix cours réussis en littérature, dix autres en sociologie et dix échecs alignés comme un geste de contestation qui n'implique que celui qui le pose. Il s'agissait d'éviter tout compromis avec l'institution.

Après ce bac qui, sans être reconnu, fut néanmoins accepté, j'entrepris des études de deuxième cycle. C'est à la maîtrise en littérature que je perdis mes dernières illusions sur les études universitaires. Le laxisme qui a gagné toutes nos institutions s'avère encore plus désespérant dans les milieux dits supérieurs. La démission des intellectuels atteint une telle ampleur que même le travail de l'intelligence se trouve corrompu par cette loi du silence qui touche toutes les corporations. Et, évidemment, l'esprit corporatiste affecte la transmission des connaissances en tronquant le débat au profit du diplôme de l'étudiant et du salaire du professeur. Le savoir circule alors entre deux parties qui se trouvent en conflit d'intérêts devant le but qu'elles prétendent poursuivre. À la fois, efficace et improductive, il n'existe pas conspiration plus brillante contre le savoir. C'est la première fois dans l'histoire de la civilisation qu'on sacrifie ainsi la plus importante partie de l'agora pour en faire une boutique-à-prétentions. La mondialisation s'imposant, c'est ainsi dans tous les pays industrialisés bien qu'ici ce soit pire. Ce pays n'est pas un pays, c'est une assemblée d'individus politiquement immatures, économiquement assujettis et culturellement parvenus. Un pays qui se targue d'être parce qu'il s'imagine qu'il a été et croit que cela suffit à lui fournir une histoire et une identité. En fait, il quémande la spécificité de son existence auprès des autres nations en remplissant les trous qu'il participe lui-même à creuser en maquillant sa politique extérieure de manière à séduire incestueusement son grand frère. Quelle est la nature et la qualité d'un pays quand ses principaux investissements, dans sa province récalcitrante, se font en propagande et que certaines de ses lois ne sont que coquetteries pour ses autres provinces unanimement adhérentes ?

Vous voyez la raison pour laquelle j'ai refusé de choisir le métier-de-l'écriture. Avec de telles idées, j'aurais été exclu d'emblée des boursiers des différents conseils des arts et j'aurais été forcé de manger avec des baguettes plutôt qu'avec mes doigts afin d'obtenir un style plus propret. Quand l'aseptisation gagne la fiction, il est temps de s'interroger sur la réalité de la liberté d'expression et sur la sincérité de ceux qui prétendent s'en prévaloir. Ce n'est qu'une question d'authenticité. Comment aurais-je pu aller contre ma conscience et exécuter des pirouettes pour l'État, le capital et leurs valets de chambre quand je suis convaincu que l'espèce, avant Darwin, choisissait plus judicieusement ses parasites ? Marx a d'abord et avant tout démasqué ceux-là mêmes qui allaient se prévaloir de la sélection naturelle alors que Freud a tenté d'exhumer les racines de l'insécurité. Évidemment, les propos de Darwin ne sont pas tombés dans l'oreille de ces sourds qui, pour protéger leurs acquis, se sont emparés de tous les leviers économiques. Quand tu n'as rien à dire et que tu n'arrives même pas à exprimer ce rien, tu tentes alors de t'emparer de tout. La malhonnêteté relève de l'intérêt qu'on touche à se croire plus malin que l'autre sans pouvoir s'en convaincre autrement. Freud, Marx et Darwin avaient raison. Quand socialement on y croit, la sélection naturelle, tout en étant basée sur l'inné, s'effectue à partir de l'acquis. Il va sans dire que la répartition de la richesse exigera bientôt un plafonnement des fortunes personnelles. Sélection naturelle, lutte de classes, nous poussons le malaise dans la civilisation jusqu'à la privatisation des forces policières.

Le jour où je vous ai rencontrée, il m'a été impossible de fermer l'œil. Toute la nuit j'ai erré dans mon appartement, allant d'une pièce à l'autre, quittant mon cabinet de travail pour me rendre à ma chambre, ma chambre pour aller à la cuisine et revenir à mon cabinet de travail. Là, je m'asseyais dans mon fauteuil, j'allumais une cigarette, je regardais la rue, le parc. Je tentais de deviner ce que pouvait cacher l'existence des quelques rares passants, hommes et femmes, silhouettes fuyantes qui osaient s'aventurer la nuit dans la neige et j'imaginais ces vies comme j'aurais pu moi-même les déterminer. À l'un, à cause de sa démarche empressée, je prêtais l'exécution d'un méfait et j'associais, quelques instants plus tard à sa victime, le pas traînant d'une autre ombre de la nuit. Si la victime était une femme, le méfait devait être d'ordre amoureux. J'imaginais alors un homme venant de quitter sa maîtresse, venant de rompre avec elle de la manière la plus douce et à la fois la plus brutale qui soit. Les ruptures amoureuses, qui se font en douceur, demeurent les plus brutales de toutes. Avez-vous remarqué, dans ces histoires entre les êtres, ce n'est jamais, au fond, ce qui a été dit qui irrite mais bien plutôt tout ce qui a été tu ? Les amants peuvent s'échanger les pires invectives, quand le poids du silence descend sur eux, les mots qui n'ont pas été prononcés se mettent alors à agir, sournoisement, insidieusement, et ces mots, qui font partie du monde du silence et des ombres, possèdent plus de poids que les pires insultes. Entre amants, les injures signifient peu de chose. Dans les ruptures amoureuses, il n'y a que les silences, les mots non énoncés qui agissent et érodent les esprits. Alors, j'imaginais un homme qui venait de quitter sa maîtresse en lui disant tout simplement : *C'est fini.* Vous imaginez le drame ? Pas un mot d'explication, seulement *c'est fini.* Elle, elle l'aimait sûrement. En fait, elle s'était amourachée de lui. Elle en était éperdument amoureuse. Lui, prétendait l'aimer ; croyait même sincèrement l'aimer. Mais, alors que son amour à elle semblait grandir de jour en jour, son amour à lui s'éteignait de minute en minute. Il l'aimait mais ne pouvait pas l'aimer comme elle désirait l'être ou comme il s'imaginait qu'elle désirait l'être. Peut-être pensait-il : *Elle dit qu'elle m'aime, mais elle ne peut pas m'aimer réellement.* Moi aussi, j'ai déjà pensé cela, quand j'étais avec les femmes. Aujourd'hui, je ne le pense plus car j'évite systématiquement ces situations génératrices d'équivoques. Mais à l'époque, je me disais constamment : *Elle dit qu'elle m'aime mais elle ne peut pas m'aimer. Comment une femme peut-elle prétendre m'aimer, aimer un être comme moi ?* Cette seule pensée agissait dans ma tête de la façon la plus perfide qui soit pour détruire entièrement mon illusion fondamentale concernant l'amour. J'étais avec une femme depuis quelques années, une femme qui disait, qui prétendait m'aimer. Cette femme me disait souvent : *Je t'aime.* Que connaissait-elle de l'amour, pour pouvoir l'affirmer ainsi ? Elle aurait aimé que je lui dise aussi : *Je t'aime.* Au début, comme je ne connaissais rien de l'amour, il m'arrivait quelquefois, même trop souvent, de lui dire : *Je t'aime.* Qu'est-ce dire *je t'aime* quand on ne connaît rien de l'amour ? N'est-ce pas là la condition essentielle pour couvrir l'autre de *je t'aime.* L'amour est basé sur l'ignorance et plus les gens sont ignorants et plus ils se mettent en position de s'aimer. Je déblatère souvent contre les gouvernements et l'État moderne. Il faut néanmoins leur accorder qu'ils rêvent de grands ensembles qui seraient entièrement et exclusivement amoureux. Les pays et les gouvernements rêvent du triomphe de l'amour afin que règne l'ignorance et que rien n'entrave leur fonctionnement.

Voilà à peine deux jours que notre rencontre a eu lieu, que l'événement s'est produit et je vous écris durant toute la journée et même la nuit. Je vais vous faire un aveu. Je commence à me remettre de mon méfait. Je dis bien que je commence, car il serait fou de prétendre le contraire. Et quand je dis que je commence, ce n'est que parce que je perçois certaines modifications mineures dans mon état d'être depuis le soir de votre rencontre, quand l'événement s'est produit, la nuit où, non seulement je n'ai pas fermé l'œil, mais où je ne pouvais ni ne voulais le fermer. J'étais assis dans mon fauteuil, près de la fenêtre, devant mon bureau de travail sur lequel j'avais déposé la preuve de mon méfait et, observant la rue, je ne voyais déambuler que des gens coupables. Bien que nous soyons tous coupables de quelque chose, celui qui se sent coupable de quelque méfait ne voit que des gens coupables et non seulement il ne voit que des gens coupables mais il ne s'entoure et ne cherche à s'entourer que de gens coupables. Lui, qui passait, devait certainement être coupable devant sa maîtresse de l'avoir laissée en lui disant simplement *c'est fini* et, elle, devait chercher en quoi avait-elle mal agi pour qu'il la quitte ainsi. La culpabilité n'engendre que la culpabilité ; nous en savons quelque chose, nous qui naissons tous avec la faute dite originelle. Et probablement qu'elle marchait lentement, accablée des reproches qu'elle s'adressait. Lui marchait rapidement pour s'éloigner du lieu de son méfait et pour éviter de revenir sur une décision qu'il allait peut-être regretter parce que, revenant sur cette décision, ce retour aussi il l'aurait pu regretter. La nuit du soir de notre rencontre, il fonçait dans la neige pour fuir le lieu où il s'était rendu coupable d'un crime, mais c'est lui-même qu'il désirait fuir. Peut-être était-il marié à une autre et sa maîtresse avait insisté pour qu'il quitte cette autre qui était sa femme et peut-être insistait-elle depuis fort longtemps, depuis trop longtemps ? Peut-être lui a-t-elle dit : *Choisis entre ta femme ou moi*, mais peut-être pas ? On pourrait imaginer plusieurs scénarios. On ne fuit toujours que soi-même. Peut-être sa femme a-t-elle découvert sa relation avec sa maîtresse et que c'est elle qui lui a dit : *Choisis entre ta maîtresse ou moi*. Personnellement, je ne me serais jamais soumis à un tel chantage ; je les aurais quittées toutes les deux, sans aucun doute. Mais, peut-être cet homme n'aurait jamais pu arrêter son choix sur sa maîtresse au détriment de sa femme, qui sait ? Peut-être, était-il entièrement déchiré par ce choix qui s'imposait à lui et qu'il ne pouvait arrêter. Peut-être, marchait-il ainsi pour fuir la peur et le vertige qui l'envahissaient. Si j'avais pu voir son visage, j'aurais immédiatement su. Mais, peut-être marchait-il ainsi simplement parce qu'il avait été retardé par cette première tempête de neige et qu'il était pressé de rentrer chez lui, qui sait ?

Des scénarios, j'ai dû en imaginer des centaines pour comprendre le sens véritable de la lettre qui vous était adressée. Cet homme est persuadé que vous l'aimez encore. Bien sûr, un homme, qui aime une femme et ne veut pas la perdre, peut pousser loin son insistance et évoquer aisément l'amour qu'elle éprouve encore envers lui, mais qu'elle ne veut pas lui avouer parce qu'il lui est préférable de le dissimuler. Mais votre ancien amant — si vous me permettez de l'appeler ainsi — ne semble pas insister sur l'amour que vous pourriez éprouver encore envers lui. Il ne fait qu'écrire : *Dire que tu ne m'aimes plus serait non seulement me mentir, mais te mentir à toi-même.* Puis plus loin, il ajoute : *Je connais trop bien ton honnêteté pour savoir que, si tu refuses de me l'avouer et que si tu vas jusqu'à me le nier, à toi tu ne te mens pas. En ce qui concerne notre amour, je sais que tu peux mentir au monde entier et à moi, mais je sais aussi que tu es incapable de te mentir à toi-même.* Je ne vous ai vue qu'une seule fois et je suis convaincu qu'il a raison.

Se mentir à soi-même, se fuir soi-même. La vraie menace n'est pas hors de nous mais en nous. Nous avons bien intériorisé le tragique. À la naissance de la philosophie, quand nous avons commencé à nous le figurer ailleurs que sur une scène, il nous était devenu intrinsèque. Il avait déjà cessé d'être incarné par la nature mais nous avons intériorisé le parangon d'une nature menaçante. Vous êtes mon exact contraire. Vous ne fumez pas et je fume ; vous ne souffrez pas d'insomnie, je veille mes nuits. Vous savez qui vous êtes et de quoi vous êtes capable ; j'ai mis beaucoup de temps avant de m'avouer que j'étais névrosé. Même aujourd'hui, quand j'affirme l'être, je sais que je mens par omission, car je sais que je ne parviendrai jamais à le dire avec l'exactitude qu'exige la conceptualisation d'une telle réalité. D'ailleurs, je ne parviens jamais à respecter la réalité. Pourquoi devrais-je y arriver, d'ailleurs ? Pour tenter de comprendre une chose, il me faut la déformer entièrement, la rendre méconnaissable. Peut-être est-ce le propre de l'appréhension intelligible.

La nuit de notre rencontre, j'ai veillé comme un gardien de phare sur le gouffre de ma vie. Comme un gardien de phare, je montais à l'étage, m'installais devant la fenêtre pour voir le parc sous un autre angle, puis je redescendais m'installer devant l'autre fenêtre. Comme j'aurais aimé être un véritable gardien de phare veillant sur ce golfe de solitude urbaine, cet océan de désolation humaine. Comme j'aurais aimé que mon appartement fût circulaire et qu'il soit muni d'un escalier en colimaçon. Monter et descendre en suivant le dessin d'une volute de fumée qui traverse, dans mon esprit, le point fractal de son ascension vers le ciel. Ils nous neutralisent l'esprit avec leur manque d'imagination, ces architectes de malheur. Par manque d'imagination et par obsession économique, on ne construit plus que des boîtes dans lesquelles on enferme les gens pour les rendre encore plus fous qu'ils ne le sont. Cela commence très tôt, d'ailleurs ; à l'école, en fait. Pourquoi les écoles qui ressemblent aux usines varieraient-elles de fonction sociale ? Architecture à ras de sol, dans laquelle on enferme les enfants pour qu'ils y apprennent d'abord et avant tout à douter d'eux-mêmes, et c'est très exactement là tout ce qu'ils y apprennent et uniquement ce qu'ils y apprennent. Des boîtes d'apprentissage de la vie à ras de sol pour une vie à ras du sol.

Cette nuit-là, le gardien de phare que j'étais a veillé. La nuit m'apparaît toujours plus riche que le jour. Elle recèle tous les mystères alors que le jour ne nous offre que l'illusion du dévoilement. Vous savez, il existe aussi une conspiration-contre-les-mystères. Ce monde prétend tout expliquer et les gens croient qu'il faille tout expliquer. Quand votre ancien amant écrit : *Je préfère mourir incompris que passer ma vie à m'expliquer*, cette phrase n'est pas de lui mais d'un chanteur country. Les gens croient de plus en plus qu'il faille tout expliquer, qu'aucun mystère ne doit être préservé. Les psys de toutes sortes, qui sont au service de l'appareil social donc de l'État, prétendent pouvoir expliquer l'âme humaine et le comportement humain ; ces gens-là n'expliquent rien, ils ne font que vivre de la désespérance et du désenchantement général du monde. Évidemment, nous ne devons pas les en blâmer, car bien souvent ils sont plus désespérés et plus désenchantés que les gens qu'ils prétendent soigner. Vous devez penser que j'ai eu affaire à ces gens-là ? Il n'en est rien. J'aurais peut-être dû. Mais, je m'occupe moi-même de ma vésanie et si chacun en faisait autant, nous ne nous en porterions que mieux. Remettre le dialogue intime sur sa folie entre les mains d'un intermédiaire relève de l'obscénité. Le tripotage et l'étalement public de l'intimité des gens, voilà ce qui est obscène. J'ai dû me débarrasser de mon téléviseur il y a quelques années — après son départ en fait — à cause de toutes ces émissions où l'indiscrétion est la condition essentielle de la participation. Ce monde est une foire-tragique-d'indiscrétion. Je prends les psys en exemple, mais j'aurais pu prendre les médecins ou les professeurs ou les savants ou les journalistes ou encore les écrivains et tous les artistes en général — tout ce monde vit d'indiscrétion, de l'indiscrétion généralisée et institutionnalisée —, mais pour le moment je préfère m'en tenir à ces techniciens-de-l'être-au-service-du-corps-social.

J'ignore ce que votre ancien amant se refusait à vous expliquer. J'ignore ce que vous désiriez tant qu'il vous explique. Je crois néanmoins savoir ce qu'il aurait voulu que vous lui expliquiez et je connais, il me semble, ce que vous n'avez pas compris ; je sais aussi qu'il n'avait pas à comprendre l'incompréhensible ou, du moins, à l'accepter tel quel. Il existe des limites à la tolérance tout comme au pardon. Ou, si vous préférez, la tolérance et le pardon ne s'exercent bien souvent qu'à l'intérieur de certaines limites. Il voudrait que vous lui expliquiez ce que, j'imagine, vous n'arrivez peut-être pas à vous expliquer vous-même. Je ne sais pas, je sais seulement qu'il y a longtemps que je ne demande plus d'explications à personne et que je me suis mis dans la situation de n'en devoir donner à quiconque. Je sais aussi que, quand je croyais aux explications — quand j'étais sous l'emprise de l'illusion-fondamentale, je subissais évidemment l'influence de l'illusion-des-explications —, l'influence de cette illusion, plutôt que de me procurer une prise meilleure, donc plus rationnelle, sur le réel, produisait toujours l'effet contraire. Je n'obtenais jamais de la femme que j'aimais les explications que j'aurais crues valables, dignes d'elle et de moi et de cet amour que nous prétendions nous unir alors qu'il ne faisait que nous séparer. Toujours, ses explications étaient vagues ou insensées. Jamais, par ailleurs, elle n'acceptait les miennes ou parvenait à les comprendre ; dans tous les cas, elle les rejetait comme des explications d'un être irresponsable, précisait-elle. Curieusement, je crois que l'homme a l'esprit beaucoup plus ludique que la femme et cela, évidemment, elle était totalement incapable de l'admettre. L'homme, plus aisément que la femme, conçoit la vie comme un jeu ; il la prend beaucoup moins au sérieux. Paradoxalement, l'homme passe pour celui qui prend la vie le plus au sérieux. L'homme prend la vie au sérieux mais, pour lui, prendre la vie au sérieux ne représente qu'un jeu de plus. Toutes ses interrogations existentielles ne sont qu'un jeu de plus dans la confusion cosmique qui l'entoure. Ainsi, l'homme apparaît souvent à la femme comme un être irresponsable. En fait, l'homme n'est pas plus irresponsable que la femme mais infiniment plus ludique. Il paraît inconscient parce qu'il n'accepte pas le monde tel qu'il est alors que la femme semble mieux s'y faire. Il faut aussi dire qu'elle le voit différemment de lui. Ce que la femme appelle l'irresponsabilité de l'homme pourrait aussi s'appeler contre-pied-vital-à-la-responsabilité-de-la-femme. Après avoir commis cette erreur principale de ma vie, après avoir cédé au chantage de lui faire un enfant, j'ai découvert les joies, les très grandes joies de ce que nous appelons communément la paternité. De manière tout à fait inattendue, je découvrais des satisfactions insoupçonnables. De mon besoin d'avoir un enfant qui ne s'expliquait que par son besoin à elle, je basculai, une fois l'enfant au monde, dans le besoin quotidien d'être avec cet enfant. Cet enfant, que j'osais à peine appeler mon enfant tant l'irresponsabilité de mon acte m'apparaissait de plus en plus brutalement à mesure qu'elle grandissait, représenta néanmoins l'élément essentiel d'un ressourcement vital. Il constituait une présence que j'avais participé à mettre au monde et cette présence devenait de jour en jour absolument indéniable. J'avais commis un premier crime : celui de mettre un enfant au monde. Je devais maintenant m'occuper de cet enfant, de la conséquence de mon crime. Je m'en occuperais encore aujourd'hui, si sa mère ne me l'avait tout simplement interdit. Quand j'étais avec la mère, je pouvais m'en occuper à loisir et je m'en occupais à loisir. Hors la mère, il n'en fut plus question. Avec la mère, je réussissais à être seul avec l'enfant et cela représentait des moments que je peux qualifier de privilégiés, vraiment privilégiés. À l'époque, comme je vivais à la campagne, je m'inspirais de la nature pour mettre ma fille en contact avec la vie et tout ce qu'elle contient de bon et de mauvais, bien que je considère que la vie ne contient ni de bon ni de mauvais, que seul l'homme en rajoute toujours et le plus souvent par désœuvrement. Par pur désœuvrement, l'homme adjoint une nouvelle prescription tous les cent ou cent cinquante ans à une liste déjà ancienne de prescriptions dites divines, philosophiques ou politiques. Toutes ces prescriptions n'ont évidemment rien à voir avec nos vies qui se passeraient bien d'elles et passeront bien sans elles.

Alors, cette nuit-là, je me suis assis à mon bureau sur lequel j'avais déposé la preuve inavouable de mon méfait. Je contemplais cette preuve et n'en croyais pas mes yeux. Je ne me savais plus capable d'une telle audace bien qu'après avoir repassé mille fois dans ma tête les motifs qui avaient présidé à ma décision, à mon geste, je me rappelai que ces motifs ne relevaient pas de l'audace mais bien plutôt de l'honnêteté, de mon étrange intégrité. En effet, je n'ai jamais fait confiance aux serveurs qui travaillent dans les bars. Je ne dis pas que ces gens-là sont tous malhonnêtes — il nous arrive d'en rencontrer de rares qui n'exigent pas, la main tendue, qu'on leur verse le pourboire auquel ils croient avoir droit. Je veux simplement dire qu'avec eux, on ne sait jamais à qui l'on a affaire et que, compte tenu des circonstances, je devais tabler sur mon honnêteté, que je sais à toute épreuve, contre l'hypothétique probité d'un serveur que je ne connaissais pas plus que vous. Je n'avais pas le choix, il y allait de votre protection, de la sécurité de vos biens et de ma réputation, j'imagine. Votre ancien amant, même s'il vous reproche certaines choses qu'il ne vous pardonnera jamais, en aurait fait autant. Le cœur peut être aussi inepte que rancunier. Quand j'étais avec les femmes, je me suis souvent avéré aussi indulgent que rancunier. Autant je pouvais être volontairement implacable, autant je m'avérais un bienveillant imbécile. Les contraires s'attirent et nos comportements sont le plus souvent contradictoires. Quand nous agissons, quand nous prenons une décision, nous sommes convaincus que nous prenons une décision conformément à la cohérence que nous croyons appliquer à nos vies. Tout cela n'est que fatuité. S'il y a une cohérence dans nos vies, elle est tissée par nos erreurs, mise en valeur par nos échecs, à un rythme qui nous échappe sur un métier qui ne nous appartient pas. La vie n'a d'étrange que ce que nous arrivons à en comprendre. Encore faut-il y arriver pour en être remercié. C'est là l'hommage le plus puissant qu'elle offre à l'homme et pas nécessairement aux dieux qu'il se fabrique. La vie sait pertinemment bien que les dieux, à se définir comme immortels, constituent son reniement. Ce n'est pas parce que nous n'avons qu'une vie à vivre qu'il faille gruger celle des autres. Personnellement, je me fous de ces discussions. Mais puisqu'il en est question, aussi bien en débattre. Je pense que les Grecs ne se souciaient pas de l'immortalité de leurs dieux. Elle leur était effective comme elle l'était pour les hommes. Les Latins ont lié à la vie une notion de temps moribond. C'est cette première grande déprime humanitaire qui constitue le terreau du capitalisme. Quand, mortels, on réalise le non-sens de l'immortalité, le premier réflexe est de capitaliser pour la succession. La progéniture nous garantit que nous survivrons et l'héritage garantit que la progéniture survivra et bien. Le problème du capitalisme, c'est qu'il n'avait pas prévu la culture de masse et la démocratie qui constituent les conditions essentielles de son développement. La culture de masse devait fournir une identité à tous les individus et un droit à la propriété. Pour être quelqu'un, il faut posséder quelque chose et c'était la seule façon de réinstaurer le système de l'esclavage sans qu'il y ait de révolutions. L'industrie puis la bourse sont devenus les nouveaux monarques sans tête à couper. De la petite propriété privée de l'ouvrier au guignol du parquet, le capitalisme ne fait toujours que récupérer les formes les plus éculées de l'esclavage. Sa sublime trouvaille demeure le choix individuel des formes d'esclavage. La démocratie ne sert plus qu'à sanctionner massivement cet esclavage des individus. En votant pour ton maître qui est toujours le même, tu ne sens plus les serres qui, tout compte fait, te font courber l'échine. L'important est que les esclaves se sentent libres dans leurs chaînes, sous le joug. Le comble de l'irrationalisme est atteint. Nous sommes donc gouvernés par des fous, des malades qui pour se donner raison sont prêts à liquider l'habitat. Vous comprenez pourquoi je tiens tant à me dissocier de mes semblables. Je ne me considère pas comme le plus rationnel des êtres, mais de là à ne désirer un habitat naturel que pour moi et ma progéniture, il faudrait que je sois imbu de moi-même jusqu'à me prendre pour Dieu, j'imagine. Au-delà du mythe du bon sauvage à la Rousseau, l'aborigène des Amériques s'était donné la nature comme Dieu. L'éthique lui prescrivait de vivre dans le respect de son intégrité. Cette approche primitive du rapport à la nature comporte l'immense avantage que l'habitat demeure préservé. Pas question de revenir en arrière. Avec ce qu'ils appellent la mondialisation, les États-Unis d'Amérique visent à constituer le plus grand empire de l'histoire de l'humanité. Il faut s'imaginer que ça leur permet de mieux dormir la nuit. Grand bien leur fasse !

Ainsi, le gardien de phare était assis à son bureau devant un objet plein de mystères qui constituait la preuve inavouable de son méfait. La ville traversait sa première tempête de neige. Vous pouvez imaginer la force de caractère que pouvait exiger le métier de gardien de phare lors des tempêtes glaciales de novembre quand le vent se déchaînait sur le golfe ? Mais on peut aussi se représenter toute la richesse de sa solitude. Cette nuit-là, j'éprouvais aussi le sentiment du devoir accompli. J'avais fait, comme je me suis toujours efforcé de faire, ce que seule ma conscience me dictait. Seul le sentiment du devoir accompli dans la solitude la plus amère parvient à nourrir le gardien de phare.

Cette nuit-là, je n'aurais jamais osé ouvrir votre sac. Non seulement je n'aurais pas osé mais j'en aurais été tout simplement incapable. Je l'avais posé devant moi et ne ressentais aucun besoin de l'ouvrir pour que son contenu me soit immédiatement révélé. Sa présence me suffisait. Vous imaginez ? C'était en quelque sorte comme si vous étiez là. Vous y étiez sans y être ; vous y étiez sans même me connaître. Sans m'en rendre compte, en introduisant ainsi une femme chez moi, je venais de déroger à la règle, à ma règle. Bien sûr, je n'avais pas matériellement donc réellement dérogé à ma règle, mais la présence dans mon appartement du sac à main d'une femme représentait en quelque sorte une exception. Mais, comme s'il s'agissait d'une œuvre d'art, l'aura de votre sac incarnait votre présence et vous rendait mille fois plus présente à mon esprit que si vous aviez été là en personne. Je le regardais et je me disais : *Qu'as-tu fait, malheureux* ? Je frémissais. Je me disais aussi : *Voilà une manière détournée de déroger à la règle.* Un instant, je me disais : *Tu as transgressé la règle* ; puis immédiatement après, je me disais : *Tu n'as fait que ton devoir.* Mais aussitôt, cette violation de la règle refaisait surface et je me disais : *Tu as enfreint la règle de ne plus remplir aucun devoir ; en plus d'être cinglé, tu es un délinquant.* Là-dessus, je capitulais. La perspicacité de mon esprit l'emportait encore sur toutes les excuses que j'aurais pu m'inventer. En effet, en vous rendant ainsi service, je foulais du pied le principe que j'avais établi de ne plus aider qui que ce soit. Car je sais depuis longtemps, par expérience, qu'il ne sert à rien de rendre service à autrui pour la simple et bonne raison que chacun est seul et le demeurera quoi que nous fassions. Aider son prochain ne peut être que vain et, dans tous les cas, cela se retourne toujours contre nous. Nous ne pouvons rien contre le destin, aussi vaut-il mieux l'accepter tel qu'il est. Cela s'avère toujours infiniment plus sage et tout aussi infiniment plus prudent. De toute manière, il ne faut pas se faire d'illusion, personne ici ne travaille autrement que pour lui-même au profit de l'État. J'ignore vraiment ce qui s'est produit dans mon esprit parfois des plus saugrenus. Nous avons tous nos moments d'égarements et, moi, je crois en avoir plus que d'autres. C'est du moins ce que je me disais. Non seulement je déroge à la règle-de-ne-plus-être-avec-les-femmes, mais je déroge à celle de-ne-plus-rendre-service-à-personne. C'est aberrant ce que vous me faites faire. Incroyable!

Cette nuit fut néanmoins une des nuits les plus extraordinaires de ma vie. Sans doute était-ce dû à la surprise de mon acte et à l'excitation que, maintenant, il me procurait. Je ne saurais dire. N'allez surtout pas penser qu'il pouvait y avoir quelque chose de sexuel dans cette excitation. Il y a longtemps que j'ai réglé ça. Évidemment, si la simple éventualité d'entrer dans une infime partie de l'intimité de l'autre pour briser l'abîme qui nous sépare peut s'appeler entreprise érotique, mon excitation l'était, mais de ce seul et unique point de vue. Car pour le reste, vous savez, la conscience que j'ai acquise de la vie, me proscrit aujourd'hui tout rapport physique avec mes semblables. Je me garde de ces situations-à-forte-teneur-d'illusions. J'avais posé votre sac sur mon bureau et depuis je n'osais plus lui toucher. Sa présence m'intimidait et me fascinait à la fois. Je veillais jalousement sur cette présence et je savourais cette entreprise comme s'il se fut agi d'une entreprise capitale.

Cette nuit-là, durant toute la nuit, j'ai veillé sur votre sac. Il n'était pas question que je commette l'indiscrétion de l'ouvrir. Ces objets et leur contenu me sont toujours demeurés foncièrement étrangers. Il y avait à l'époque autant de mystères dans le sac à main d'une femme qu'il pouvait y en avoir à la regarder se maquiller dans la glace. Ces mystères, je les voulais préserver et j'ai toujours agi pour qu'ils le soient. J'ai vécu — je vous l'ai dit — plusieurs années avec une femme. Au début, comme à la fin, je la regardais se maquiller dans la salle de bain et j'étais littéralement mystifié. Je ne comprenais pas. Cela faisait partie, pour moi, des grands-mystères-de-la-vie. Je sais que les femmes aiment généralement qu'on les regarde se maquiller ou autrement dit qu'on les regarde se mettre belles ou encore plus belles. Car belles, la plupart du temps, elles le sont sans maquillage. Mais, une femme ne se maquille jamais de la même manière et son entreprise trahit toujours une intention. Elle ne se maquille jamais avec la même désinvolture, jamais avec la même attention, jamais avec les mêmes intentions. Quand une femme se maquille, il n'y a pas mystère plus impénétrable que l'intention qui soutient son entreprise. Un jour, elle y va avec toute la légèreté du monde ; le lendemain, avec rapidité mais en conservant l'assurance du geste ; puis un autre jour, avec gaucherie et impatience comme s'il s'agissait d'un fardeau. Assister à la séance de maquillage d'une femme, c'est avoir accès à son âme ; c'est pénétrer dans l'univers de ses humeurs ; c'est assister aux prolégomènes de son entreprise ou non de séduction ; c'est être témoin de ses vertiges et de ses peurs ; c'est entrer dans son intimité plus qu'elle ne le croit et plus qu'il nous l'est permis. Mais c'est aussi subir son pouvoir de séduction, partager ses vertiges et ses peurs, entrer en son monde comme elle ne parviendra jamais à nous y faire entrer avec les mots. Votre ancien amant insiste beaucoup sur le pouvoir que vous aviez sur lui quand vous lui permettiez d'assister à ces séances. Votre pouvoir était tellement grand qu'il se souvient du nombre. *À trois reprises,* écrit-il. J'imagine qu'il n'oubliera jamais ces moments-là. Il vous écrit assez longuement là-dessus, d'ailleurs. On dirait même qu'il insinue que seules ces séances l'ont séduit ou ont participé fondamentalement à le séduire et que vous en étiez consciente. N'écrit-il pas : *Tu cherchais à me conquérir jusqu'au bout, irrémédiablement, en ne m'offrant aucune chance.* Ici, il fait allusion au jour où vous l'avez introduit dans votre salle de bain et où il est tombé — bien qu'il l'était déjà — encore plus totalement amoureux. *Après cette révélation,* écrit-il, *je ne pouvais plus être le même, non seulement envers toi mais aussi envers moi et ma manière de voir et de percevoir les femmes.* Vous vous rendez compte de l'importance capitale de cette expérience pour lui. Les femmes disent que les hommes ne les comprennent pas ; je crois que l'inverse est aussi vrai. Évidemment, je me fous aujourd'hui éperdument de toutes ces histoires et je ne m'en porte que mieux. La dernière chose à laquelle j'assisterais serait bien à la séance de maquillage d'une femme. S'il est un moment qui ne pardonne pas, c'est bien celui-là. L'homme est extrêmement sensible à tout ce qui le différencie, qu'il ne comprend pas et qu'il ne comprendra jamais. Il est séduit par la différence, c'est ce qui le pousse spontanément vers les femmes. Cela est certainement bon pour l'espèce. On dirait parfois que les femmes, sans rejeter la différence, aspirent toujours au semblable, à ce qu'elles peuvent aisément reconnaître et qui les rassure.

J'ai vécu plusieurs années avec une femme. Ce n'est pas seulement la retraite des femmes qui me permet aujourd'hui de voir les choses ainsi ; il y a toutes ces années que j'ai passées à les fréquenter. Quand j'affirme que la femme aspire au semblable, je crois savoir de quoi je parle. Une fois le nid construit, son nid, un nombre imprévisible de choses, d'événements et d'êtres peuvent représenter des menaces contre ce nid. Évidemment, la première menace serait que l'homme, qu'elle a inséré dans son nid, quitte le nid. Aussi, au début, quand elle considère que le nid n'est pas pleinement constitué, est-elle toute en compromis. Elle fait les compromis nécessaires à la constitution-du-nid, pourrions-nous dire. Quand elle considérera que le nid est devenu tangible, elle ne fera évidemment plus ces compromis. Bien sûr, les choses ne sont pas aussi tranchées que je vous les présente ; il n'en demeure pas moins que ses compromis diminueront à mesure que son évaluation de la constitution-du-nid la rassurera. Quand le nid sera complètement constitué — le nid n'est jamais pleinement constitué; ce n'est qu'un schéma de compréhension —, c'est-à-dire qu'il le sera en comprenant certains éléments de base comme un mari puis, par la suite, un enfant et, enfin, un toit qui sera occupé à titre de propriété. Si le nid se défait — mais le nid ne se défait jamais complètement, car il est dans son esprit —, le mari, c'est-à-dire celui qu'elle aura choisi comme géniteur, sera le premier élément à en être exclu. Il va sans dire que dans la plupart des cas, la femme a raison de mettre ces brutes à la porte, *parasites de la santé et de la beauté de nos femmes, aujourd'hui qu'elles sont si peu d'accord avec nous,* écrivait Rimbaud. Si le mari ne se comporte pas comme un père ou plutôt l'idée qu'elle se faisait d'un père — idée basée sur l'idée qu'elle a pu se faire de son propre père —, elle l'exclura du nid, car il lui faut protéger l'enfant-qui-est-le-centre-du-nid. L'enfant, ce centre-du-nid est au centre de sa tête et au cœur de sa vie. Mais cela, elle ne l'avouera évidemment jamais. Toujours quand je disais à ma femme: *Mon besoin d'avoir un enfant ne peut s'expliquer que par le tien parce qu'avoir un enfant est le centre principal de tes préoccupations;* toujours, elle répondait: *Non, tu ne comprends rien aux femmes.* La femme est consciente de bien des choses et son pouvoir lui vient de sa capacité de ne pas les exprimer, de retenir de les dire. L'homme avec son esprit ludique adore le jeu des mots, le jeu de la parole. Aussi, ici, on le traite facilement de grande gueule, mais l'homme aime parler et refaire le monde avec des mots plutôt qu'avec des enfants. L'homme est plus près des mots que des enfants. La femme n'aspire pas à refaire le monde; elle préfère l'occuper tel qu'il est. *Ensuite, se dit-elle, s'il s'agit de le refaire, on pourra toujours voir et, cela, je le ferai en fonction de l'enfant que j'aurai mis au monde.*

Vous savez ce que j'ai découvert dernièrement. Les femmes reprochent aux hommes leur enfantillage et disent: *Les hommes nous prennent toujours pour leur mère.* Je ne veux pas savoir si cela correspond ou non à la réalité. Dans certains cas, cela peut être vrai; dans d'autres cas, cela peut être faux.

Par contre, je me demande jusqu'à quel point cette affirmation générale — qu'elle soit vraie ou fausse — ne sert-elle pas simplement à masquer le fait que les femmes confondent toujours l'homme avec lequel elles partagent leur vie avec le père qu'elles ont eu, n'ont pas eu ou auraient bien voulu avoir? Pourquoi les femmes échapperaient-elles aux vicissitudes de la vie et à ses aberrations affectives. Il y a eu deux femmes dans ma vie. Il y en a eu une première dont je ne me suis jamais occupé. J'étais trop jeune et je n'en avais pas le temps à cause de tous les projets qui occupaient mon esprit. C'est elle qui voulait un enfant et à force de me harceler constamment et de me menacer de séparation, j'ai fini par commettre cet enfant. Par la suite, ce qui devait arriver arriva. L'enfant n'eut pas le temps de grandir que nous nous séparâmes. On ne construit rien sur le sable, dit la sagesse populaire. Trouvai-je l'expérience amère? Je ne comprenais plus rien à rien. J'étais perdu. Je me trouvais ridicule. Je nous trouvais ridicules et je devais constamment me ressaisir pour ne pas appréhender notre enfant avec pitié. Je ne voulais pas être pitoyable, mais toute ma vie s'avérait alors lamentable. J'étais le malheur incarné, me semblait-il. Je ne parvenais pas à pardonner l'impardonnable. Comment aurais-je pu y arriver? Mais je m'éloigne. Par la suite, il y eut plusieurs femmes mais toutes mes relations s'avérèrent troubles. Alors, je décidai de prendre congé des femmes. Cela dura une année entière. Je fréquentais des femmes mais sans plus; je n'établissais aucune relation qui aurait pu porter à confusion. J'allais au cinéma avec une amie, puis je rentrais chez moi et elle chez elle ou ailleurs, je m'en foutais. Moi, je rentrais chez moi et je ne l'invitais jamais à me suivre. D'ailleurs, mes expériences-cinématographiques-avec-les-femmes se sont toujours avérées négatives quand elles n'étaient pas carrément catastrophiques. Je rencontrais une femme, je l'invitais au cinéma ou elle m'invitait; la plupart du temps, c'est elle qui m'invitait et qui choisissait le film. Personnellement, le cinéma ne m'intéressait plus. Le cinéma m'avait déjà passionné mais, après mon divorce, ça ne me disait plus rien. J'ai vécu trop d'expériences-cinématographiques-avec-les-femmes; trop d'expériences décevantes dans les salles de cinéma. Après mon divorce, je rencontrais une femme et cette femme désirait aller au cinéma et je me disais : *Pourquoi pas, tu n'es plus un adolescent ?* Alors, nous nous donnions rendez-vous dans un restaurant situé près du cinéma. Nous entrions dans le cinéma. Nous nous asseyions et la représentation commençait. Parfois, nos bras se touchaient mais, il n'était aucunement question que je lui prenne la main. Nos bras se frôlaient et cela suffisait. En fait, quand nos bras se touchaient, il devenait possible que le contact épidermique se généralise. Aussi, pendant que le film se déroulait, il arrivait que, me réinstallant, car nous sommes toujours mal assis dans les cinémas, mon bras effleure le sien et vice versa. Son bras touchait le mien, je me réinstallais pour qu'il n'y touchât plus. Le film se déroulait et nos bras s'ingéniaient à se toucher et à ne plus se toucher. Le film terminé, il fallait, comme il se doit, aller en discuter. Nous allions alors dans un bar. Un soir, j'étais allé voir la version montréalaise d'une histoire hagiographique avec une femme dont j'ai, par la suite, très intentionnellement oublié le nom. J'avais rencontré cette femme par hasard et elle m'avait dit qu'elle désirait voir ce film et m'avait invité à l'accompagner. J'aurais pu décliner l'invitation, mais je m'étais dit : *Cette femme semble sympathique et peut-être l'est-elle réellement ? Je n'ai rien à perdre en acceptant son invitation.* Alors nous nous sommes donné rendez-vous à proximité du cinéma. Durant la projection, nos bras se sont à plusieurs reprises frôlés. Après la projection, nous avons marché sur la rue Sainte-Catherine, puis nous nous sommes installés à la terrasse d'un bar. La nuit était belle et je n'étais pas amoureux. Elle pensait beaucoup de bien du film et désirait savoir ce que j'en pensais. Personnellement, je n'en pensais rien. Que fallait-il en penser ? Je ne l'avais pas trouvé plus ennuyant que les autres, pas moins non plus. Mais il y avait quelque chose d'étrangement impudique dans ce film que je n'arrivais tout de même pas à exprimer. Aussi, je me taisais et l'écoutais. Mais elle insistait. Et puis, je mis deux mots sur cette obscénité et je qualifiai le film de catholique téteux, ce qui revenait à dire d'un catholicisme obséquieux. Elle n'apprécia pas la sévérité de ma critique, mais accepta tout de même mon invitation de m'accompagner chez moi. Elle m'avait invité à la suivre chez elle, mais j'avais insisté pour que nous allions chez moi. Je voulais voir sa réaction. À cette époque, j'étais persuadé que, si les vêtements sont le prolongement du corps, l'appartement est le prolongement de l'âme, un reflet fidèle de la vie intérieure, et je voulais qu'elle sache à qui elle avait affaire. À l'époque, comme je ne faisais qu'y dormir, mon appartement se trouvait dans un désordre total. En plus, sous les effets d'un chauffage au gaz, tous les murs avaient jauni. Cet appartement était le portrait fidèle de mon âme torturée. Aucune femme ne pourrait vivre dans une telle demeure, me disais-je, à l'époque. Mais je ne voulais pas lui mentir et je ne voulais pas qu'elle me mente : si elle ne supportait pas le caractère insalubre et, au fond, sordide de mon appartement, nous ne parviendrions jamais à nous entendre sur les prochains films que nous irions voir ensemble. Cela me semblait évident et j'ai eu parfaitement raison. Une fois assise, elle a regardé les murs et les rideaux de fortune jaunis par le gaz et, comme prise de panique, elle a demandé que je lui appelle un taxi. Elle a constaté le désordre général et elle a eu peur. En regardant l'amas de livres et de brouillons accumulés sur la table qui me servait de table de travail ainsi que de table de cuisine, elle s'est épouvantée et m'a demandé de lui appeler un taxi. Heureusement, la compagnie de téléphone n'avait pas encore interrompu le service. Sinon, j'aurais dû réveiller ma propriétaire, comme ma fille avait eu à le faire quelques mois plus tard pour parler à sa mère alors que je m'étais endormi complètement bourré. Si aujourd'hui ça ne fait aucun doute, j'ignore si, à l'époque, cela aurait pu entraîner la déchéance paternelle. J'ai préféré me retirer de tout cela.

Le taxi est venu la chercher et nous ne nous sommes jamais revus et nous ne nous en sommes portés que mieux. Je me disais obstinément : *La deuxième femme de ta vie devra accepter l'insalubrité et le désordre de ton appartement donc la souillure, le dérèglement et le tumulte de ta personnalité. La* deuxième femme de ma vie fut rassurée par l'insalubrité et le désordre de mon appartement. Je la rencontrai par hasard et l'invitai chez moi parce qu'elle me plaisait profondément. Elle ne voulait pas que nous allions chez elle à cause de l'étalement et de la démonstration de son propre désordre. En voyant mon appartement, elle constata immédiatement l'ampleur de ce fouillis dans lequel elle mettait les pieds et fut rassurée sur la nature et l'étendue du sien. Elle se croyait névrosée, elle venait de rencontrer plus déséquilibré qu'elle. Elle se croyait perdue, elle rencontrait la déchéance appliquée systématiquement. Le fait de ne pas être effrayée par mon dérèglement général la révélait superbement : elle était tout le contraire des femmes que je ne peux supporter. Vous savez ces femmes, comme votre amie, belles et frivoles qui n'ont que le souci de bien paraître et qui attirent l'attention par des éclats de voix et des rires exagérés. Je ne serais évidemment pas allé avec elle avant de me poser la question à savoir si j'étais prêt à m'occuper d'elle. Seule question, d'ailleurs, que me posa ma mère à l'époque où je lui appris ma nouvelle union. De la première, je ne m'étais jamais occupé ; de la seconde, je ne devais faire que cela. Les femmes ont aussi besoin d'un père dans la personne de l'homme dit de leur vie et l'accusation portée contre les hommes ne sert souvent qu'à dissimuler cette réalité dont l'homme se fout entièrement : s'il est avec une femme et qu'il ne s'en occupe pas, c'est qu'il ne porte pas attention à cette réalité ; s'il est avec une femme et qu'il adopte la règle de s'en occuper, il se fout bien qu'elle ait ou non besoin d'un père et qu'elle le retrouve en lui, il ne veut même pas le savoir : il lui suffit plutôt d'identifier les lieux, pour lui acceptables, de cette entreprise-affective-de-sous-traitance.

Car, toutes nos histoires d'amour, les grandes et les petites, les sublimes comme les décevantes, celles qui nous poursuivent notre vie durant parce que nous les considérons comme des échecs, celles que nous regretterons peut-être à la dernière seconde, celles qu'il peut nous sembler devoir trouver avant de rendre l'âme, celles qui nous feront sourire au moment de fermer les yeux, celles-là pour lesquelles nous étions prêts à donner notre vie à l'instant, histoires d'amour de ces orgasmes les plus anéantissants constamment en lutte contre le monde tel qu'il est, ces grandes histoires d'amour qui nous permirent d'espérer encore et encore malgré l'affaissement général de la volonté et la dissolution totale des valeurs, ces grandes histoires d'amour qui nous font oublier toute l'abjection dans laquelle le monde patauge, toutes ces histoires ne demeurent toujours que des entreprises-affectives-de-sous-traitance.

Je sais néanmoins que vous ne vous maquillez pas beaucoup. En ouvrant votre trousse, j'ai tout de suite remarqué que vous n'aviez presque pas touché aux différentes crèmes qu'elle contient. Le rouge à lèvres était presque intact. Vous n'aviez utilisé que le bleu et le blanc de l'ombre à paupières et complètement délaissé le fard à joues. Je n'ai pas eu à ouvrir le bâtonnet de mascara ; cela ne m'aurait rien donné et il me semblait posséder suffisamment d'informations pour déduire que vous étiez une femme qui ne se maquillait pas beaucoup ou alors avec une infinie discrétion. Par la suite, j'ai pensé que votre trousse devait être neuve et que ce devait être là la raison principale du peu de marque d'utilisation de vos crèmes. J'ai eu dernièrement la confirmation de mon erreur de jugement en tombant sur la facture du salon de beauté. C'est toujours sur des insignifiances qu'on se trompe, vous ne pensez pas ; jamais sur l'essentiel ou alors cela nous est fatal. Il n'en demeure pas moins que si vous aviez été une grande utilisatrice des produits de maquillage donc une grande consommatrice d'éléments-à-produire-du-factice, vous ne m'auriez aucunement intéressé. Et, évidemment, cela je l'aurais vu tout de suite. J'ai aussi remarqué que vous utilisiez plus que tout autre élément le crayon à sourcils. Je n'ai rien contre l'utilisation du crayon à sourcils par les femmes. Je trouve même que certaines l'utilisent avec brio. Évidemment, celles-là, ne l'utilisent pas pour les sourcils, mais pour accentuer les traits de la paupière inférieure. Souvent, cela fait ressortir merveilleusement les yeux et leur accorde l'importance qui leur revient dans un monde où le regard est constamment détourné. Car il existe, évidemment, une conspiration-contre-le-regard. On ne peut plus regarder les gens comme autrefois. On ne peut plus regarder les gens en face sans qu'ils nous prêtent les intentions les plus malveillantes. On ne peut plus regarder une femme sans qu'elle croit qu'on veuille coucher avec elle. Ce monde est foncièrement paranoïaque ou, à tout le moins, malhonnête. On ne peut plus regarder une femme, franchement. Et, c'est la même chose pour les hommes, si ce n'est pire. Une femme ne peut plus regarder un homme sans que celui-ci s'imagine qu'elle veuille coucher avec lui. Si elle a le malheur de lui adresser la parole, tout de suite il croit qu'elle désire avoir une relation sexuelle plutôt qu'une simple conversation. Si une femme se fait arrêter la nuit pour un contrôle routier, le policier lui soupçonne immédiatement des mœurs légères pour la simple et bonne raison qu'elle est seule en voiture en pleine nuit. Bien sûr, vous allez me dire qu'il ne faut pas rabaisser tous les hommes au rang des policiers. Il y a encore beaucoup d'hommes de cavernes, ces primates qui traînent ici et là dans notre société et qui occupent, souvent, des postes dits de commande. Évidemment, ces hommes-là ne commandent rien ; c'est à peine s'ils se commandent eux-mêmes. Et ce qu'ils commandent ou prétendent commander n'est que l'illusion d'une entreprise souvent tout aussi illusoire que la direction qu'ils exercent sur cette entreprise. Les hommes ne vivent pas seulement de jeux ; ils se nourrissent continuellement d'illusions. Leur vie est essentiellement symbolique. Quand un homme est avec une femme, il n'y a pas une illusion qu'il n'entretienne sur son compte. Il entretient l'illusion-de-la-mère ; pour cela, il s'en approprie la matrice, cherche même à prolonger cette matrice dans les nouvelles technologies de reproduction ou simplement en faire un objet sacré que lui seul peut profaner. Car l'homme est un profanateur né. Tout ce qu'il trouve sur son passage, il le profane. Tout, pour lui, n'est qu'élément-de-profanation. Et la femme fait partie de ce tout. Il suffit de regarder l'histoire qui n'est que l'histoire des guerres. Avec une femme, même quand il évoque le respect, il pense élément-de-profanation, car il n'évoque le respect que pour mieux la dégrader et l'avilir. On parle aujourd'hui de nouvel homme, d'homme rose et de macho. L'invention de nouveaux mots ne sert souvent qu'à masquer un manque de contact avec la réalité et ne dévoile bien souvent qu'une absence réelle de pensée. Le nouvel homme n'existe pas, l'homme rose encore moins ou alors seulement dans l'esprit troublé de quelques écervelées qui s'imaginent ainsi échapper à leur condition et au traitement qui leur échoit à la naissance. *On ne peut pas changer le système et refaire l'histoire, mais on peut changer l'homme avec lequel on vit*, se disent ces écervelées. Quelle aberration! L'homme dit nouveau n'existe pas. Car qu'est-ce qui aurait bien pu en promouvoir l'avènement? La bombe atomique? La télévision? L'ordinateur? Le village global? Ou l'esprit dérangé de certaines femmes qui prennent leurs désirs pour des réalités? L'homme nouveau n'existe pas et n'est pas près d'exister. Ce n'est pas parce qu'il fait la vaisselle qu'il voit différemment la femme avec laquelle il vit, qu'il se trouve en meilleure position de la comprendre. On ne peut pas comprendre, qu'importe l'étiquette, ce qui nous est par définition étranger. L'homme rose fait semblant de comprendre la femme, mais il ne la comprend pas plus que le macho. L'homme rose comprend la femme par hypocrisie, c'est tout. Ce n'est pas parce qu'il partage les tâches domestiques que la situation a substantiellement changé. Ce n'est pas parce qu'il lui demande son avis sur tout et pour des peccadilles qu'il la considère plus qu'autrefois et qu'il la considère autrement. Quand il lui demande son avis, c'est souvent parce qu'il est incapable de se faire une opinion sur sa nature. Ce n'est pas parce qu'il se renseigne tous les cinq minutes sur la qualité de ses humeurs qu'il la comprend mieux. Il essaie de la comprendre parce qu'il est incapable de la sentir. Il est bien souvent aussi desséché qu'elle, sinon plus. Les femmes entretiennent bon nombre d'illusions sur les hommes, autant que les hommes sur elles. Entre les hommes et les femmes, tout ne peut être qu'illusions, car tout repose sur l'illusion-fondamentale. L'homme rose, s'il existe, doit ressembler aux flamants du même nom, c'est-à-dire qu'avec les femmes s'il se tient debout, ce n'est toujours que sur une seule patte. Vus de l'esprit de féministes déçues, ces hommes auraient probablement passé toute leur vie seuls s'ils n'avaient adopté cette couleur pour le moins mitigée. Hommes roses et féministes refoulées forment les couples les plus moraux qui soient et privilégient toujours la censure à la liberté. Ils composent la base de la société bien pensante. Ils représentent la nouvelle incarnation terre à terre de la bêtise. Nous savons tous qu'ils participent inconsciemment à instaurer une nouvelle droite ; ils forment cette nouvelle droite, rose, proprette, aseptisée. Mais, à leurs enfants qui peuvent apprendre, ils n'apprendront qu'à les détester. Car dans un contexte de censure continuelle, de *voici ce qu'il faut faire* et *voici ce qu'il ne faut pas faire* et ce, à propos de tout et de rien, ces enfants-là n'apprendront rien avant d'avoir bien appris à désapprouver puis abhorrer leurs parents. Tant qu'ils ne détesteront pas leurs parents, ils ne pourront pas apprendre. La condition *sine qua non* à tout apprentissage sera la haine qu'ils pourront éprouver pour ceux qui les auront engendrés. Ces enfants seront sauvés dans la mesure où ils apprendront et s'appliqueront à détester leurs parents et toutes leurs recommandations à propos de tout et de rien. L'homme rose existe effectivement, mais il s'efforce tellement de ressembler à la femme qu'il épouse qu'il lui est impossible d'engendrer autre chose que sa propre image. Ses enfants n'auront de salut que dans la négation systématique de ses prescriptions. Le macho possède plusieurs défauts mais n'a pas celui de l'hypocrisie. Il est inconscient certes et trop imbu de lui-même mais il n'est pas hypocrite, il est donc innocent. Son jeu peut paraître démodé, il est néanmoins sincère : le macho se passe des modes qui, par définition, passent. Son attitude peut sembler dominatrice, elle est néanmoins sincère. Parce qu'il ne se cache pas sous les jupons des femmes, on lui reproche constamment de ne vouloir que retrousser les jupons de ces mêmes femmes. C'est vrai que, s'il se cachait sous les jupons idéologiques de certaines femmes, le macho ne parviendrait pas à se reproduire.

Si j'avais été superstitieux, ce n'est pas le treizième mouvement que j'aurais sauté mais celui-ci. Il n'y aurait pas eu de trente-troisième mouvement. Comme j'aurais préféré ne pas vivre ma trente-troisième année. Je ne vous raconterai pas cette année de ma vie. Je voudrais simplement l'oublier. Mais on ne peut pas oublier et les décisions que l'on prend en obéissant à son intuition et qui nous font douter de tout et de nous-mêmes se révèlent souvent justes quelques années plus tard. C'est le devenir qui procure un sens au passé et jette un éclairage juste sur le présent. Il ne faut pas se faire d'illusions ; la misère est au centre de nos vies comme la lumière au cœur du jour et, bien sûr, tout cela n'a plus aucune importance.

J'adore votre parfum et cette nuit-là, il m'a fait rêver. Par son intermédiaire, en fermant les yeux, j'entrais en communication avec vous. J'ai toujours été très sensible aux émanations féminines. Les odeurs que l'on ramène chez soi après avoir côtoyé une femme ont toujours constitué, pour moi, un mystère privilégié. La vôtre, curieusement, me rappelle, et je ne sais trop pourquoi, ces parfums sacrés d'encens, qu'enfant je respirais dans les églises. J'ai évidemment toujours détesté les églises. Aussi loin que je me rappelle, j'abhorrais tout ce qui s'appelait église comme école. Mais de l'église, je retenais toujours ces exhalaisons d'encens et j'aimais ce parfum et cette odeur me rendait l'église acceptable voire supportable alors que, pour l'école, rien ne pouvait me la rendre agréable. Dieu que les femmes m'ont obsédé de leur parfum ! Vos effluves constituent certainement un de vos éléments les plus célestes. Les vôtres sont tout simplement divins. Votre parfum me hante l'esprit, il est devenu indissociable de l'air que je respire. Il est l'éther de mes nuits. Poivré, il m'obsède. Il est vous en esprit, je crois. Maintenant, je ne peux plus me passer de lui. Les parfums de femme m'ont toujours rendu fou. Je me souviens avoir rencontré une femme qui, à bien des égards, vous ressemblait. C'était lors d'une de ces soirées mondaines où j'allais m'enivrer à peu de frais et j'avais ramené le fichu qu'elle m'avait laissé. Vous imaginez, à mon réveil, ce que la découverte de son fichu imprégné de son parfum pouvait représenter. Cela seul me permit de passer toute la journée à rêver. Imaginez ce qu'un parfum de femme peut contenir de richesses quand il vous permet de rêvasser durant une journée entière. Quoi qu'on en dise, cela est irremplaçable. Rien au monde ne pourra jamais remplacer le parfum d'une femme qui vous a plu. Cette femme m'avait littéralement subjugué. Sans correspondre aux critères officiels de la beauté commerciale telle que définie par l'industrie-de-la-beauté-plastique — je n'ai jamais eu d'attirance pour une femme dont la physionomie correspond à ces critères et, si certains se branlent devant son image, ils ne coucheraient jamais avec elle —, cette femme avait une manière de vous regarder qui vous faisait littéralement fondre. Toute sa beauté tenait dans un regard chavirant qu'elle daignait jeter sur vous à travers ses lunettes en l'accompagnant dangereusement d'un vague sourire ironique. Il s'agissait vraiment de ce qu'on peut appeler une femme fatale. Sa rencontre me fut d'ailleurs fatale. Je n'aurais jamais osé lui demander de devenir ma maîtresse ; plutôt, je l'ai priée de me prendre pour amant. Vous voyez comme je m'exposais à l'époque et comme je provoquais moi-même le destin. Elle m'a pris pour amant ; elle ne pouvait pas me refuser cela. À la rigueur, j'aurais accepté d'être son chien, vous comprenez ? Je m'exposais comme il n'est certes pas permis de le faire. Qu'importe. Je désirais cette femme et, sous l'emprise de l'illusion-fondamentale, nous ne sommes plus rien. Sans croire à l'amour, en la regardant, je le pensais encore possible. Je la regardais, j'observais ses gestes, je scrutais ses regards, j'observais, sans les analyser réellement, ses mimiques et je pensais inconsciemment que l'amour, avec cette femme, demeurait une chose plausible, réalisable. Je désirais cette femme. J'arrivais même à la désirer plus que tout au monde. Vous voyez l'ampleur du piège dans lequel je tombais, le gouffre vers lequel je glissais ? Cette femme n'était pas ce qu'on appelle communément une beauté et pourtant cette femme était l'une des plus belles femmes qu'il m'avait été donné de rencontrer. Tout est dans l'esprit et l'intention, j'imagine, et il faut éviter de se mettre entre les deux jambes ce qui se passe entre nos deux oreilles. En rien, elle ne correspondait aux critères de beauté féminine actuelle et non seulement cela pouvait suffire à la rendre belle mais du fait qu'elle se sente belle contre tous les critères-de-beauté-établis la rendait tout simplement fatale. Contre tous les critères-de-beauté-établis, elle avait décidé de jouer de ses charmes, d'établir sa beauté et d'instituer sa présence. La beauté et le charme ne sont souvent que dans l'intention. On peut médiatiser et diffuser des critères de beauté à grande échelle, mais cela n'affecte aucunement la beauté en soi qui se trouve toujours préservée, en quelque sorte, des assauts de cette modernité brute qu'on appelle maintenant la postmodernité, mais qui n'est qu'une modernité dans laquelle l'abrutissement feint ou réel demeure la seule garantie d'une vie passablement paisible avec une conscience malheureuse. Caractéristique de cette époque, voilà que l'apparence rassérène l'essence en fournissant enfin une garantie matérielle aux individus en mal d'existence. Cela va avec la perte du sens des valeurs et, conséquemment, celle des valeurs signifiantes. Les valeurs ne découlent-elles pas du sens que l'on donne aux actes que l'on pose plutôt que du sens dont on voudrait voir ces actes se recouvrir? Enfin!

Mouvements 3

J'adore veiller la nuit. Je me sens comme le gardien de phare. Qu'adviendrait-il du golfe, la nuit, s'il n'y avait un gardien de phare pour prendre conscience de sa réalité ? C'est l'état de veille qui donne vie aux choses et aux êtres. Sans ce gardien de phare, le golfe continuerait certes d'exister, mais il n'y aurait plus personne pour en parler ainsi. De même, je ne pourrais exister sans la nuit. De toujours, je n'aurais jamais pu vivre sans la nuit et, maintenant, sans votre sac à main, objective présence posée devant moi. La nuit m'apaise. J'ai l'impression que l'humanité dort et je veille sur elle. Si j'étais musicien, j'écrirais mes symphonies la nuit.

La nuit me fournit mon existence, me nourrit dans mon essence. Aussi, je veille sur elle comme elle me semble veiller sur moi. Dans ce jeu de la nuit et de l'existence, votre sac à main n'était d'abord qu'accessoire. Puis, il est devenu élément-moteur-de-manuscrit. Je trouve curieux ces sacs à bandoulière munis d'un ardillon et d'une boucle derrière laquelle l'on retrouve néanmoins un bouton-pression. La valeur purement décorative de la boucle me déçoit comme tout ce qui, en ce monde, est devenu purement ornemental. Je ne pense pas seulement au maquillage des femmes. Je déteste tout ce qui n'a que valeur décorative. L'âme des êtres, si les êtres ont une âme, ne doit pas relever du monde de l'ornement décoratif, contrairement à ce qu'on semble penser. Là-dessus, il ne faut néanmoins pas confondre décoration et apparence. Quand le philosophe dit : *L'apparence est essentielle à l'essence*, je ne crois pas qu'il pense décoration. Dans le monde de l'apparence, la décoration dissout le caractère essentiel de l'essence. La décoration, en fait, nie le caractère essentiel de l'apparence et, par cette négation, nie aussi l'essence. La décoration n'est pas une invention moderne, mais son avatar s'avère être une véritable conspiration-contre-l'apparence-en-tant-que-substrat-de-l'essence, voyez-vous ? La décoration présente l'apparence comme indépendante de l'essence des choses parce qu'elle se présente, aujourd'hui, comme une apparence autonome. Par contre, la décoration nous révèle sur les êtres qui y souscrivent ce que justement ils voudraient nous cacher. C'est sa grande utilité. Elle est un masque qui révèle plus qu'il ne couvre car, dans l'intention de ceux qui en utilisent les avatars, se décèlent alors immédiatement, non seulement les véritables intentions, mais aussi les intentions détournées qu'on essaie de faire passer pour des intentions véritables. Le monde de la décoration est le monde le plus superfétatoire et le plus essentiel à la fois ; c'est ce qui rend son fonctionnement autonome. Il est superfétatoire, car nous devrions nous en passer ; il est essentiel, car il nous révèle une attitude de l'homme et sa déraison à l'utiliser inconditionnellement. En fait, tout a été pensé en termes d'apparence et d'essence ; d'abord dans l'opposition des termes, ensuite, dans leur réconciliation. Mais je ne veux pas vous ennuyer avec ces histoires, d'autant plus que nous savons tous que les êtres n'ont pas d'âme. Quand l'enfant de la rue dit que, si Dieu existait vraiment, il n'y aurait pas tant de misère et de pauvreté, c'est de l'âme de l'homme dont il parle. Dieu est un laissez-passer pour l'injustice.

Je ne sais pas pourquoi je vous ai ramenée chez moi. J'aurais pu vous laisser là. Devons-nous être tenus responsables de nos décisions impulsives, de ces décisions du moment qui, par la suite, engagent toute notre existence ? Les enfants ne se font pas autrement. Les parents sont toujours responsables devant leurs enfants, mais le sont-ils autant que la société s'acharne à le leur faire croire ? S'ils sont responsables devant leurs enfants pour les avoir mis au monde sans les consulter, sont-ils aussi responsables de cet acte irréfléchi qu'ils ont posé en les engendrant et en les précipitant dans ce monde chétif et souffreteux, misérable dans son avènement à force de se révéler impuissant devant ses plus grandes réalisations ? Il y a manifestement trop d'humain dans la conception que nous nous faisons du divin. Qu'importe ! Nous n'arriverons jamais à départager le vrai du faux de toutes ces histoires tant elles nous glissent entre les doigts. Ce sont pourtant ces histoires évanescentes qui rythment nos vies et en font des histoires, au fond, complètement dérisoires. Ces histoires rendent nos vies insignifiantes parce qu'elles nous échappent dans leur totalité. Nous en percevons des parties, mais ces parties ne représentent que le contour des choses, que la périphérie de l'événement et, c'est ainsi, parce qu'autrement le malheur nous serait insupportable. Il n'y a que deux moments où la vie elle-même nous est insupportable. On dit que l'enfant, pour naître, doit fournir un effort surhumain, un effort si grand qu'aucun adulte ne pourrait l'égaler sans que cela lui soit fatal. Cet instant est insupportable et, quand l'enfant y survit, c'est qu'il est déjà prêt à affronter le monde rachitique qui l'attend. L'enfant n'en est pas conscient. La vie peut aussi se passer de conscience et croire le contraire ne peut être que vaine prétention. Quand l'astrophysicien dit que l'homme est peut-être la conscience que l'univers s'est donnée pour être pensé, l'astrophysicien est victime d'un paralogisme. Son erreur de jugement trahit un péché de prétention. Il commet vraiment le péché-de-prétention. Si l'univers avait attendu l'homme pour être pensé, il est fort probable qu'il attendrait encore et que l'astrophysicien ne serait pas là pour affirmer de telles âneries. L'univers ne peut pas être pensé sans l'homme et pour qu'il soit pensé par l'homme, il faut bien que cet homme soit. S'il y a de la vie sur les autres planètes, il faudrait que nous lui fassions honneur. Seule l'humanité peut être pensée cosmologiquement et de manière très terre à terre. Quand l'astrophysicien dit : *L'homme est la conscience que l'univers s'est donnée pour être pensé*, l'astrophysicien le dit devant un auditoire composé en grande partie de vieilles-bourgeoises-philanthropes qui courent ce genre de conférence et se gargarisent de tels propos, faute d'avoir autre chose de plus consistant à se mettre sous l'esprit qui leur fait défaut. Si l'astrophysicien leur disait que seule l'humanité peut être pensée ou que l'homme est la conscience que l'humanité s'est donnée pour être pensée, il y a fort à parier qu'il perdrait son auditoire. Les auditoires désirent toujours entendre ce qu'ils pensent déjà et non ce qu'ils pourraient penser si on se donnait la peine d'éveiller leur conscience pour les sortir de cette paresse intellectuelle qui fait bâiller l'humanité. Depuis qu'il a coupé la tête du roi et proclamé la mort de Dieu, l'homme est assis dans les lieux d'aisances de l'histoire. C'est certainement pour cette raison que la Déclaration universelle des droits de l'homme agit comme désodorisant de cette même histoire. Elle ne voit pas le jour au lendemain de la Seconde Guerre mondiale pour rien ! Et comme elle est loin de voir le jour, cette idée que nous nous faisons de l'homme. Inapte à être et inepte à se penser, comme un enfant dans le noir, il avance à tâtons dans les méandres d'une histoire qu'il désire idéale et que, toujours, ses enfants lui reprochent. Nous touchons là les fondements de l'éthique et je m'en voudrais de vous ennuyer avec cela. Comme j'aimerais qu'une simplicité s'installe entre nous, une simplicité que je qualifierais de naturelle. Vous savez, si j'avais opté pour le métier d'écriture, je n'aurais pu qu'inventer un personnage misanthrope et misogyne à la fois. Concevoir un narrateur qui déteste le genre humain exige un auteur qui croit en son salut plus qu'au sien. Je suis un être trop indifférent pour détester réellement et pour aimer simplement. Je me sens étranger parmi mes semblables. J'aime bien cette espèce dite humaine. Comme, en venant au monde, je ne la connaissais pas mais cherchais à la comprendre, chaque jour sa bêtise me la révélait différemment, si complètement autrement qu'elle devint mon grand et unique objet de fascination. L'acharnement avec lequel elle perfectionne son ineptie, rode sa non-existence, s'acharne à se nier m'a sidéré. C'est à ce titre que l'animal humain se distingue des autres espèces ? À cela, mais aussi à sa capacité de rire de tout et de lui-même et c'est quand il rit jaune qu'il fait un pas en avant proportionnellement à la mesure où il prend conscience de sa médiocrité, de sa poisse d'être. Aucune espèce a développé à ce point sa science des autres espèces pour la justification de sa sottise individuelle et collective. L'homme s'est donné un langage suffisamment articulé pour formuler ses aspirations, ses carences logent ailleurs et je ne pense pas seulement aux cabinets d'aisances de l'histoire.

Votre ancien amant prétend que votre relation était vouée à l'échec parce qu'il vous refusait un enfant. De votre premier mariage, vous avez eu un garçon et maintenant vous désiriez une fille. Un homme doit y penser deux fois plutôt qu'une avant de faire un enfant à une femme et trois fois plutôt que deux avant de lui faire une fille. Je sais par expérience que la mère, quand elle élève une fille, a tendance à jouer à la poupée. Elle a beau s'être rebellée contre les stéréotypes sexuels, elle aime habiller sa petite fille en petite femme, en version miniature d'elle-même. Elle aime la rendre coquette en la revêtant de petites robes, en lui tressant les cheveux et, parfois, en la maquillant déjà. Dans les réunions de famille, elle aime que sa petite fille attire l'attention des adultes, qu'on la trouve belle et coquette comme la mère devait l'être à son âge et comme elle l'est demeurée. Dans votre prochaine réunion de famille, retirez-vous un instant et observez l'assemblée. Vous n'y reconnaîtrez plus personne. Asseyez-vous à l'écart et observez attentivement les membres de votre famille. Si vous n'avez pas envie d'être ailleurs, c'est que vous n'êtes pas pleinement concentrée sur ce que vous voyez. Bien sûr, la situation est pire dans les réunions de bureau et encore pire entre amis car, entre amis, on a toujours la responsabilité de les avoir passablement choisis. C'est pire entre amis car, parce qu'on les a choisis, ils nous renvoient plus directement une image de nous-mêmes. Quelle catastrophe nous attend quand on se retire mentalement d'une réunion d'amis et qu'on les observe comme s'ils faisaient partie d'une famille adoptive. Il suffit de tenter l'expérience pour réaliser qu'ils nous sont véritablement étrangers. Alors, on préfère souvent se passer d'amis. Et l'on se demande toujours qui a choisi qui ? On est gêné et mal à l'aise. Là aussi on voudrait être ailleurs et enfin seul. Et, à la fin, on se dit pour soi-même — et on ne le dit à personne : *On ne m'y prendra plus* ! On se fait toujours reprendre.

Quand je dis qu'il ne me reste plus un seul ami, cela veut tout simplement dire que je n'entretiens plus et ne désire aucunement entretenir de liens d'amitié avec qui que ce soit. Un seul auteur me suffit et je crois que cette amitié est la plus sûre qui soit et qu'elle me garde à l'abri des déceptions. En plus, je lis ce maître ancien dans sa langue. La lecture de l'allemand me procure beaucoup de satisfaction. Si l'amour déçoit toujours, l'amitié, à ce chapitre, ne vole aucunement sa place. Vous savez quel genre d'amitié je voudrais entretenir avec vous ? L'amitié telle qu'elle porte actuellement son nom, c'est-à-dire telle qu'elle est entre nous par l'intermédiaire de votre sac et de cette lettre. Cela me suffit amplement. Je me méfie de tout pataugeage affectif. Il ne faut pas brûler d'étapes, pas plus qu'il ne faille tous mettre ses œufs dans un seul et même panier. Je crois que notre relation est excellente ainsi et que si nous voulons la préserver telle qu'elle est, il ne faut toucher à rien et se limiter à cet espace qui nous est offert. Vous recevrez cette lettre que vous conserverez peut-être et vous n'aurez rien appris d'autre sur moi et vous n'apprendrez rien d'autre. Ensuite, vous n'entendrez plus jamais parler de moi et il en sera bien ainsi. Ce sera une amitié qu'on pourrait dire ponctuelle et nous la préserverons comme telle. Ainsi, cette amitié pourra s'avérer éternelle parce que, telle qu'établie, nous n'y toucherons plus. Ni pataugeage affectif ni tripotage sensoriel, gardons-nous bien de tout mêler.

Vous devez bien vous demander comment j'occupe mes journées. Autant que possible à ne rien faire. Quand, dans une journée, je n'ai rien accompli de significatif, je considère cette journée réussie, entièrement menée à bien. Et ce jour où j'ai ramené votre sac, comment me pouvait-il le percevoir? Loin de considérer cette journée comme réussie, j'ai considéré cette journée comme une-journée-de-véritable-échec, comme l'échec de toutes les journées de ma vie. Le jour où je vous ai rencontrée, ce vendredi treize, soir de nouvelle lune, je fus à la fois sauvé et perdu. Votre rencontre jette un curieux éclairage sur ma vie et sur le néant qui semble l'envelopper. Vous pourriez croire entendre votre amant. Dans sa lettre ne vous dit-il pas: *Au début, je croyais qu'il me serait facile de vivre sans toi: je me trompais royalement.* S'il s'est trouvé sauvé, le voilà maintenant perdu. Par ailleurs, je lui donne entièrement raison quand, un peu plus loin, il affirme: *Nous avons opté pour la rupture. Parce que tu considérais que notre relation devenait malsaine, tu as décidé d'y mettre fin. Les gens ne supportent plus l'affliction.* Comment ne pas lui donner raison? Notre société rêve de bonheur aseptisé dans des relations humaines de plus en plus hygiaphoniques. Non seulement elle entretient une fausse idée sur le compte de la maladie — donc une illusion-de-la-santé —, mais, en généralisant ainsi le problème de la contagion, elle ne cherche qu'à isoler l'individu pour mieux le contrôler. Et quand il considère cette idée de la maladie comme étant l'idée-la-plus-saine, il est déjà sous contrôle d'État et s'expose encore plus à la maladie, mais cette fois-ci de l'esprit. Plus il y a de verre pour médiatiser la communication entre les gens et mieux l'État, dans l'intervalle qui les réunit, se glisse comme un latex protecteur et transparent, qui a partout un message vertueux à placer. Pourquoi serait-il différent de ceux qui le constituent? Qui est contre la vertu quand elle sert ses intérêts? *Nos vertus ne sont, le plus souvent, que des vices déguisés,* écrivait La Rochefoucauld. Il ne faut pas confondre l'honnêteté et l'aliénation. L'État est le latex que l'Assemblée des citoyens se donne pour se protéger d'elle-même. Tout le monde est d'accord avec cela, mais le problème avec le condom survient quand les rejetons cherchent à s'emparer de l'agora. On est en train de dire que l'espoir de l'humanité tient dans l'adhésion aveugle à un seul type d'économie généralisé donc triomphant. Mais l'économie est d'abord et avant tout politique. Les fondements de l'état de droit reposent sur la propriété privée et c'est très bien ainsi. Le problème se pose quand on souffle le condom. La base représente une immense sphère par rapport à un infime sommet conique qui s'aplatit complètement avant l'éclatement. Personnellement, tout cela me laisse indifférent. Par contre, d'ici à ce que la situation devienne encore plus indécente, je crois que le citoyen préventif doit commencer immédiatement à accumuler des réserves d'eau potable. Il va sans dire que ce tripatouillage des ressources vitales dénote une ignorance crasse de l'évolution de l'humanité qui ne sert qu'à justifier un mépris pédant de ses valeurs humanistes. Tout cela ne m'affecte évidemment plus et je ne m'en porte que mieux. Qu'ai-je à faire de toute cette cupidité qui est devenue la nouvelle base du modèle des rapports humains?

Avez-vous pensé que si la lune mettait vingt-quatre heures à faire le tour de la terre plutôt que vingt-huit jours, plusieurs peuples auraient une idée fort différente de notre satellite alors qu'une certaine partie d'entre eux nieraient catégoriquement son existence. Certains soutiendraient qu'elle forme un demi-cercle, d'autres, à la lune pleine, les traiteraient de profanes alors que la majorité de la planète soutiendrait qu'elle forme un croissant dont certains prétendraient que ses pointes sont tournées vers le soleil levant alors que d'autres affirmeraient le contraire. On discuterait ensuite de sa position dans le ciel. Devant un tel imbroglio, on organiserait une conférence de tous les peuples pour déterminer s'il y a plusieurs lunes ou une seule comme on l'avait fait, avant, pour Dieu, dans le cadre de la mondialisation du charlatanisme. Un jour à venir, on tiendra une de ces conférences sur la biosphère pour réaliser qu'il n'y a plus rien à faire et plus personne à actionner. Nous savons tous que l'individu cupide est prêt à sacrifier l'état de la planète dans la mesure où il accaparera les richesses qui lui permettront de vivre sous une cloche et de se reproduire *in vitro*. Quelle idée peut-on avoir de soi pour désirer se reproduire sans s'exposer à une contamination extérieure ? Parfois je crois que les lectures de Freud m'ont plus influencé que celles de Marx. Quelle importance !

Mais nous savons tous, comme l'écrivait l'auteur de *Moravagine*, que c'est la maladie qui est la santé et qu'une relation entre un homme et une femme qui ne supporte aucun conflit est une relation affectée par la maladie-de-l'illusion-de-la-santé. Heureusement, ces types de relations n'existent pas, si ce n'est qu'en surface, si ce n'est que dans la tête des gens qui y rêvent et, particulièrement, dans la tête des hommes qui y pensent continuellement. Les hommes rêvent de relations non conflictuelles, de relations harmonieuses dans un désordre généralisé. Cela, à mon humble avis, n'est plus possible si tant est qu'il ne le fut jamais, vous comprenez ? N'allez surtout pas penser que je prends les hommes pour des naïfs. Quand je dis qu'ils rêvent de relations non conflictuelles, je ne prétends pas qu'ils y croient ; je veux plutôt dire que même s'ils ne les croient pas possibles, ils y pensent quand même intensément et parfois de façon très naïve. Il suffit de prendre pour preuve la poésie et toute la littérature qui traverse les siècles d'Homère à Hemingway en passant par Rabelais. Naïf, dont la racine indo-européenne est *gen(e)*, qui signifiait engendrer, veut aussi dire originaire, natif. Il existe une logique dans l'évolution des mots ; ils ne sont pas apparus innocemment comme le croit l'ensemble des gens. Les mots contiennent toutes nos réalités passées et présentes, à la fois individuelles et historiques. Prenez les dictons ou les expressions populaires et vous verrez que toute une sagesse accumulée sur des siècles de bêtises en révèle la signification. Bien sûr, je ne prétends pas que tous les dictons populaires témoignent de la même sapience. Il en est qui sont d'une indécrottable imbécillité. Je pense particulièrement à ceux concernant le travail. Ceux-là s'avèrent imbéciles parce qu'en premier lieu le marché même du travail est devenu imbécile en soi. Le travail n'est pas imbécile en soi ; le marché du travail est stupide en soi parce qu'il est organisé par des ineptes de la pire espèce qui ne pensent qu'à en tirer un seul profit qu'il nomme argent et qu'ils gardent pour eux. Si on les laissait faire, ces gens-là seraient prêts à retourner aux formes d'esclavage les plus éculées. Évidemment, il y a quelque forme de contrôle et une certaine résistance à l'égard de leur absence-de-philosophie-du-travail. Il n'en demeure pas moins qu'ils réussissent à se gagner la sympathie des gouvernements, à propager un discours économique totalitaire et à asservir l'ensemble en prétextant le racheter. Je n'aime pas parler de tout cela. Je crois qu'on ne peut absolument plus changer les choses, renverser la vapeur, comme on dit.

Votre amant, c'est-à-dire votre ancien amant, croyait qu'il pouvait renverser cette vapeur. C'est du moins ce qu'il laisse entendre dans sa lettre bien qu'au moment de la rédiger, il ne semble plus se faire d'illusions là-dessus. On dirait même que la situation qu'il déplore le satisfait en quelque sorte. Il vous reproche d'abord de l'avoir trompé parce que vous étiez incapable de le comprendre et, par la suite, il affirme qu'il en est peut-être mieux ainsi. Ce sont bien les hommes qui prétendent pouvoir s'adapter à peu près à tout mais, jamais à la manière des femmes ; cela est certain.

Il a cru un temps que vous pouviez revenir sur votre décision. Il aurait dû savoir que, pour une femme, plus la décision est difficile à prendre et plus elle s'avère définitive une fois arrêtée. Il vous reproche d'avoir opté pour la facilité. Peut-être ne comprend-il pas que vous avez pris là la décision la plus exigeante de toute votre existence. Cette lettre que vous aviez commencé à lui écrire et que l'oubli de votre sac rend maintenant caduque, il est fort probable que vous ne lui auriez jamais expédiée. J'étais comme cela, aussi, dans le passé. Je mettais une semaine entière à rédiger une lettre à un ami et, la lettre achevée, je n'avais plus la détermination de l'expédier. Je la laissais dormir durant une semaine ou deux ; je la relisais et, comme son contenu était déjà passé, je l'expédiais à la poubelle. J'avais passé une semaine à lui parler de mes lectures, de mes préoccupations, de mon travail, de ma vie conjugale, de tout et de rien. Si j'étais dans la lecture de tel ou tel autre auteur, je lui résumais certaines parties de sa pensée, j'en soulignais les points forts — je ne m'intéresse jamais aux points faibles d'une pensée quand celle-ci est articulée. Ainsi, je confrontais certains de ses éléments les plus nourrissants avec des éléments de la pensée d'autres auteurs connus de cet ami. Je poursuivais le but de lui faire découvrir un nouvel auteur avec un impact tel, que je l'imaginais déjà courant les librairies pour se procurer ses ouvrages. Mais la lettre écrite et réécrite, je ne voyais plus la pertinence de la lui poster. Je laissais passer quelques semaines, puis je lui téléphonais et lui fixais rendez-vous. Alors, je lui parlais longuement de cet auteur et nous en discutions jusqu'aux petites heures du matin. Nous échangions aussi sur à peu près tout, de la vie conjugale à la politique en revenant toujours à la littérature. La littérature est la seule discipline qui inclut toutes les activités. La littérature, si elle se fait avec discipline, n'est tout de même pas une discipline. Elle est l'activité-principale-de-toutes-les-disciplines-et-de-tous-les-savoirs. Elle est comme le charme dans son rapport à la beauté. Je ne vous ai pas seulement trouvé très belle, je vous ai surtout trouvée charmante. Le charme, n'est-ce pas la beauté en mouvement? La littérature est aussi le savoir en mouvement continuel, exploratoire. Certains voudraient l'arrêter maintenant, car il existe une conspiration-effective-contre-la-littérature. Certains désirent aujourd'hui la mettre dans la boîte-de-conserve-qu'est-la-télévision ou en institution académique, ce qui revient très exactement au même. Ces gens-là se disent écrivains, mais ce n'est qu'une prétention de plus à l'ensemble des prétentions qu'ils entretiennent sur à peu près tout, mais d'abord sur eux. Ceux-là s'emparent des différents paliers de ce qu'ils appellent pompeusement l'institution littéraire et tentent d'exercer leur contrôle sur les publications et le monde de l'édition afin que ce qu'ils nomment le discours littéraire soit conforme à la pensée obtuse qu'ils en ont. Ces gens-là ont bien souvent passé leur vie assis à lire et ainsi ils ne possèdent de la vie qu'une connaissance grotesque parce que essentiellement livresque et qu'une expérience fonctionnelle de l'écriture. Autrement dit, ce sont des fonctionnaires de la société et les vers de la littérature. Leurs grouillements, comme s'ils étaient entre ses jambes, perpétuels et réguliers, dans la société, représentent la plus grande menace contre elle. Ils sont présents à tous les lancements, ils soudoient la critique et toujours ils conspirent contre la littérature et cela ils le font en empruntant ses divers avatars. Ils contrôlent tout le processus dit littéraire, de l'auteur à la publication en passant par la critique. Quand la critique leur échappe, ils exercent des pressions auprès de l'éditeur du journal pour qu'il congédie le jeune critique qu'ils qualifient d'incompétent parce qu'il — fort heureusement, d'ailleurs ! — ne pense pas comme eux. Ils entrent en littérature comme d'autres entrent au bureau le matin pour n'en ressortir que le soir. Parce que leur prose est ennuyante, ils imposent la règle-de-l'ennui au monde entier. Ce sont des gens de recettes. Ils possèdent mille et une recettes de roman, mille et une règles de nouvelles qui ne sont que des reflets de leur incapacité à être de véritables écrivains. Ce ne sont, dans la plupart des cas, que des petits-techniciens-du-verbe et, même s'ils s'avèrent de bons techniciens, ils ne demeurent toujours que des petits-techniciens-du-verbe. Quand la mode était au formalisme, ils étaient formalistes ; quand la mode était au marxisme, ils utilisaient une certaine dose de marxisme pour socialiser leurs écrits ; quand la mode fut au féminisme, ils cogitèrent un prototype de mâle acceptable mais ne pouvant tenir debout ; puis la mode du je revint et ils se mirent à larmoyer sur des centaines de pages inutiles qu'ils ont toujours le culot de faire publier même s'ils savent pertinemment bien que ça n'intéresse personne, tout au plus leur éditeur qui, à force de titres, fait grimper le montant de ses subventions gouvernementales. Il y a une conspiration-effective-contre-la-littérature. Il n'y a rien de plus insignifiant au monde qu'un formaliste défroqué qui s'est converti au socialisme et qui se remet au je, découvrant subitement les mille aspérités de son petit moi qui n'intéresse personne. Rien de plus larmoyant et de plus ennuyant que cet auteur qui, après avoir renié l'existence du *je*, avoir nié la part de son ego dans ses textes, se lance tout à coup follement à la découverte de ce *je* dont il niait l'existence une vingtaine d'années auparavant. Mauvais tour de la technique, de l'esprit moderne de la technique que toutes ses histoires de formalisme. Aussi, la seule constance de leur écriture est justement ce *monstre délicat* que le poète voit poindre à l'orée du vingtième siècle : *c'est l'ennui*. Ces auteurs sont lus parce qu'on les impose et les professeurs de littérature les imposent parce que bien souvent il s'agit d'auteurs-qui-sont-leurs-confrères. Ce n'est pas le serpent qui se mord la queue, c'est ce que nous pourrions plutôt appeler la reproduction entre-nous, phénomène grandement répandu dans notre petite société. Ils s'imposent entre eux aux étudiants qui constituent leurs principaux lecteurs. En fait, leurs seuls et uniques lecteurs. Il y a bien sûr, à l'occasion, un égaré — ou une égarée — qui se procure accidentellement un de ces livres sans qu'il lui soit imposé, mais cet hurluberlu revient vite sur terre, découvre rapidement la supercherie et range le livre sur les rayons de sa bibliothèque et n'y revient plus jamais. Il classe le livre sur le rayon des livres-qui-ne-valent-plus-la-peine-d'être-ouverts. Quant aux étudiants, ils sont si naïfs et crédules qu'ils croient tout ce que leur dit le professeur et le professeur leur dit bien souvent qu'une seule et même chose : *Je connais personnellement cet auteur pour l'avoir rencontré à plusieurs reprises* ou *parce que cet auteur fait partie de mes amis*. Et l'étudiant rentre chez lui et dit : *Mon professeur connaît personnellement cet auteur et nous a raconté plein d'anecdotes à son sujet*. Et l'étudiant raconte les anecdotes racontées par son professeur puis va s'enfermer dans sa chambre, offusqué que son père lui ait répondu : *Qu'est-ce que ça nous fout que cet auteur porte ou non des verres fumés ; moi, je me fais chier toute la journée pour les fabriquer et pour payer les livres de l'auteur qui les porte et le salaire des professeurs qui te racontent que l'auteur les porte. Moi, je m'assois sur les verres fumés et si je m'assoyais sur le reste, comme toi sur ton cul, tu devrais abandonner tes études à la con*. Voilà ce que dit le père de l'étudiant à l'étudiant et, comme vous pensez bien, il a parfaitement raison.

Ces livres et le circuit dans lequel ils sont sélectionnés, distribués et lus, ne font qu'entretenir la discorde dans les familles et l'incompréhension entre pères et fils. Ces livres ne sont que des générateurs-de-situations-conflictuelles-entre-pères-et-fils. Je ne vous ai pas encore parlé de mon père ou si peu. Peut-être le ferais-je à nouveau, peut-être ne le ferai-je pas. Vous pensez peut-être que mon père aurait pu me dire exactement la même chose que le père de l'étudiant à l'étudiant. Il n'en est rien. Comme il savait à peine lire et écrire, mon père a toujours favorisé les études avancées pour ses enfants dans la mesure où le budget familial le permettait. Évidemment, le budget familial ne l'a jamais permis. J'ai néanmoins fréquenté l'université, mais je n'avais pas besoin de mon père pour comprendre qu'il s'agissait là d'une industrie-à-fabriquer-des-diplômés. Mon père favorisait les études universitaires par pure naïveté. Il ne pouvait pas savoir que, pour un excellent professeur, la règle universitaire exige qu'il y ait de quatre à cinq professeurs complètement inaptes quand ce n'est pas ineptes. L'excellent professeur est très exigeant envers lui et les cours qu'il donne, ce qui lui donne le droit d'être très exigeant envers ses étudiants. Évidemment, la plupart des étudiants détestent les professeurs trop exigeants, ils les fuient et n'assistent à leurs cours que s'ils y sont obligés. Quand le cours est optionnel, le professeur exigeant s'arrange pour chasser les étudiants qui se sont inscrits à son cours, mais qui ne possèdent pas le bagage intellectuel nécessaire pour comprendre ne serait-ce que l'introduction. Ce professeur fait fuir ces étudiants et ceux qui restent, à peine une dizaine sur quarante, reçoivent l'un des meilleurs cours qui soit. Alors, mais alors seulement, on peut assister à un échange intellectuel élevé entre un professeur qui a non seulement assimilé beaucoup d'auteurs, mais qui les a compris et crée des liens entre eux et des étudiants qui connaissent déjà ces auteurs mais désirent approfondir la compréhension qu'ils en ont. Dans ces cours, les interventions sont rares et d'une pertinence infiniment appréciée alors que, dans des cours ordinaires, les interventions des étudiants sont souvent floues et inconsistantes et le professeur, quant à lui, ne cherche qu'à flatter ces étudiants afin de mieux camoufler sa réelle incompétence qui origine de sa stagnation intellectuelle. Car, et cela est notoire, plusieurs professeurs d'université souffrent de stagnation intellectuelle. Plusieurs de ces professeurs possédaient une superbe inspiration quand ils étaient plus jeunes et qu'ils poursuivaient leurs études, mais cette imagination, une fois qu'ils se sont retrouvés avec leur chaire, s'est rapidement détériorée. En fait, leur imagination ne s'est aucunement détériorée; ce serait plutôt l'utilisation de cette imagination qui, à force d'être reléguée aux oubliettes, a fait que l'organe imaginatif s'est complètement atrophié, est devenu sans aucune utilité pour la simple et bonne raison que le professeur ne l'utilisait plus pour penser mais pour faire tout autre chose. Assis sur ses théories, il craignait de les dépasser, d'aller vers l'inconnu au risque de perdre sa chaire, mais d'avoir un jour raison envers et contre tous. Il est une bataille fondamentale qu'il a refusé de livrer; aussi l'imagination et l'intuition l'ont-elles toutes les deux abandonné. Car, si on peut tricher avec à peu près tout, on ne peut pas tricher avec son imagination et son intuition; ces indispensables-outils-de-l'esprit nous quittent à la minute qu'on les met de côté. Contaminée par la recherche de la sécurité, l'imagination quitte l'esprit de celui qu'elle nourrissait. Et il en est de même pour l'intuition qui est notre première forme de connaissance et d'appréhension du réel. La plupart des professeurs d'université s'enferment derrière une grille d'analyse et ne voient le monde que par l'intermédiaire de cette grille. Ils voient le monde à travers une grille derrière laquelle leur esprit se trouve, évidemment, emprisonné. Vous savez, je n'ai pas eu besoin de fréquenter longuement l'université pour découvrir cet état de fait concernant les professeurs. D'après ce que j'en ai déduit, votre ancien amant aussi était professeur, enseignant dans une école secondaire. *Il ne te restera rien*, lui auriez-vous dit. Vous savez, il a raison de critiquer ses collègues et de les accuser d'étroitesse d'esprit. Ne vous rappelle-t-il pas qu'à peine dix pour cent de ceux-ci possèdent ce que l'on peut appeler une culture générale et que les autres, en dehors de la matière qu'ils enseignent, ne connaissent absolument rien. N'oubliez pas qu'il est très indulgent quand il porte le nombre à dix pour cent. Cela pose un véritable problème, voyez-vous ? Quand un individu ne connaît que la matière qu'il enseigne, il lui est presque impossible de l'enseigner intelligemment et de manière intéressante ; il ne peut pas rendre sa matière vivante, car il ne peut la situer dans l'ensemble des connaissances pour la simple et bonne raison qu'il ignore totalement ces autres connaissances. Je vous ai dit que j'avais exercé plusieurs métiers. J'ai évidemment exercé le métier de professeur. Au début, voyez-vous, j'étais aussi crétin que les autres. Je voyais les étudiants comme une assemblée de cruches dans lesquelles le professeur déverse ce que l'institution nomme la connaissance. Il n'en est rien. Après six mois d'enseignement, je me suis retrouvé avec un groupe dit de mésadaptés socio-affectifs. Au bout de trois mois passés avec eux, je traversais une véritable révolution pédagogique. Ici, il n'y a pas de révolution pédagogique dans les écoles parce qu'en dehors des journées dites pédagogiques, il n'y a plus rien de pédagogique. Après trois mois d'enseignement, j'ai profité d'un congé pour retourner dans ma famille et réfléchir sur mon intervention dite pédagogique. Vous savez ce que j'ai découvert ? J'ai réalisé qu'avec un tel, qui ne voulait rien apprendre, j'avais été finalement odieux, le plus odieux de tous les professeurs. À celui-là, qui ne voulait pas apprendre, j'avais dit : *Tu es un imbécile et tu vas le demeurer*. En réfléchissant, je me suis rendu compte que celui-là souffrait justement d'imbécillité parce qu'il se faisait traiter de cancre depuis que l'école l'avait interné. Je devais réparer mon ignominie, car il s'agissait bel et bien d'une ignominie commise par innocence et nous demeurons responsables de l'emprise de l'innocence sur nos choix et nos actes. Au retour, j'ai mis à la poubelle tout ce qui s'appelait programme et matériel pédagogique. Ce sont des mésadaptés socio-affectifs ; ce sont des adolescents rejetés par l'ensemble des autres étudiants ; ce sont ceux qu'on appelle les fous — n'oubliez pas que c'est cet étudiant-là qui m'avait lui-même signalé que les autres étudiants les appelaient *les fous*. Alors, je me suis dit : *Je n'ai qu'un devoir envers eux : leur apprendre à se protéger du monde. Je n'ai aucun devoir envers l'institution que je considère sclérosée et dirigée par des gens tout aussi sclérosés. Je n'ai qu'un seul devoir : leur apprendre à se protéger de ce monde.* Et c'est là qu'une des plus belles aventures de ma vie a commencé. Je revendiquais : *Mes étudiants pourront fumer durant les cours que nous nommerons maintenant rencontres ; mes étudiants ne seront pas obligatoirement tenus de se présenter aux cours-appelés-maintenant-rencontres ; nous aurons un local permanent ; vous me dites que je dois leur apprendre à prendre leurs responsabilités, la seule manière de le leur apprendre, est de leur en donner, de leur donner la responsabilité de base, c'est-à-dire le choix d'assister ou non aux cours-appelés-maintenant-rencontres.* L'institution m'a répondu : *Vous aurez votre local, mais la présence au cours demeurera obligatoire et les élèves ne pourront pas fumer.* Comme des internés, comme tous les internés de la terre, ils fumaient tous comme des cheminées, car seule la cigarette se posait comme échappatoire-à-l'internat. Je sais que vous œuvrez dans le domaine hospitalier, allez voir ceux qu'on dit psychiatrisés : ce sont, tout comme moi mais pour des raisons différentes, de grands consommateurs de tabac. Tous les marginalisés de la terre se rabattent sur le tabac et, ici plus qu'ailleurs, à cause des taxes excessives, ils deviennent les citoyens les plus exploités du monde, ce qui les marginalise encore plus. Il y a des décisions gouvernementales qui, remises dans le contexte général de vie en société, s'avèrent indécentes et irresponsables pour ne pas dire carrément odieuses.

Les démocraties pâtissent d'un puritanisme de bien-pensant, mièvre et sournois, sanctionné par une pensée comptable. À cause de la menace qui pèse sur une unité nationale qui n'a jamais existé, cela est, évidemment, pire, ici, qu'ailleurs. Une province réagit à l'entreprise d'assimilation des autres qui doivent supporter l'hégémonie de celle qui contrôle le parlement en votant toujours en bloc. Des provinces, américanisées jusque dans leurs bols de céréales, votent maintenant pour la droite ; une autre province, qui n'est pas la province historiquement récalcitrante, sera peut-être la première à se retirer de cette pseudo-confédération à l'opposé des provinces qui mouillent dans l'autre océan. Mais toutes ces histoires ne m'intéressent plus. J'ignore même s'il existe encore des émissions à caractère politique ou culturel. Les dernières années où je possédais encore un appareil, il n'y avait qu'une seule émission politique et deux émissions culturelles, mais ces émissions étaient animées par des gens qui témoignaient d'une culture officielle donc étatique de la politique et acceptaient la politique officielle donc étatique de la culture. Parce que nos démocraties ne veulent pas s'établir véritablement, elles empruntent en douceur les allées balisées par des formes de totalitarisme expertisées. Il demeure illusoire de prétendre que nous vivons en démocratie quand pour en faire valoir les mérites, il faut brandir les horreurs et les injustices de régimes totalitaires. Tout le monde sait que la véritable démocratie passe nécessairement par la reconnaissance humaniste d'une juste répartition des richesses. Bien sûr, quand le mur de Berlin est tombé, les gens ont crié : *Vive la démocratie !* Tous les citoyens de l'Est ont découvert la démocratie mais, en fait, ce qu'ils retrouvent n'est que ce que nous avons déjà découvert et qui n'est qu'une forme de totalitarisme doux que nous appelons démocratie. Ils sont les seuls aujourd'hui à se faire des illusions sur la démocratie. Nous, à cet égard, avons perdu les nôtres. Nous savons que ça ne sert plus à rien de voter. Tout cela n'est qu'illusion. Ici, à tous les quatre ou cinq ans, on nous demande de voter, mais nous savons tous que nous ne votons toujours que pour remplacer l'image d'une administration par l'image d'une autre administration. Nous votons pour des images administratives, des icônes mandarinales. Après chaque élection, et cela tout le monde le sait, l'administration reste la même, avec les mêmes fonctionnaires et la même orientation. Évidemment, le plus mystérieux dans cette histoire demeure le fait que les gens vont tout de même voter. Ils savent que leur vote ne changera absolument rien à l'orientation actuelle de ce que nous appelons la démocratie et ils vont quand même voter ; cela demeure un mystère-inexplicable-qui-pourrait-rendre-fou-celui-qui-tenterait-de-le-percer. D'ailleurs, je n'oserai jamais me frotter à ce genre d'énigme pour la simple et bonne raison que j'y sacrifierais le peu de santé mentale qu'il me reste, je crois.

Votre amant vous écrit : *Je ne regrette rien. Si c'était à refaire, je referais la même chose ; je poserais les mêmes actes, je te tiendrais le même discours, je conserverais la même attitude.* Il y avait quelque chose d'irréconciliable entre vous. Il y a toujours quelque chose d'incompatible entre les hommes et les femmes. Votre ancien amant semblait tout de même très déterminé. Je reconnais une forme bien nationale de fatalisme. *Ce qui s'est produit, s'est produit parce que ce qui s'est produit avait à se produire.* Je ne crois pas qu'il cherche à se disculper en prétendant que l'issue de votre relation était inévitable. J'ignore ce qu'il veut dire quand il ajoute : *L'issue de notre amour se trouvait contenue dans son origine.* Je sais que la fin est indissociable de tout commencement. Le *ce qui s'est passé* qu'il utilise à plusieurs reprises demeure évidemment une énigme. J'ai relu sa lettre ainsi que la vôtre en soulevant diverses hypothèses. Qui sont ces deux autres femmes dont il est question ? Il y a bien sûr votre amie. Probablement celle qui vous accompagnait le soir de notre rencontre. De la manière dont il en parle, il est fort possible qu'il s'agisse d'elle. Selon lui, elle vous aurait fortement influencée dans votre décision de le quitter. Il prétend même que *son influence fut déterminante.* Je ne sais pas. Nous pensons souvent, nous les hommes, qu'il existe une solidarité naturelle entre les femmes comme il en existe une entre hommes même si elle est bien différente. Il accuse votre amie de vous avoir incitée à le quitter. *C'est elle qui a tissé le piège dans lequel nous nous sommes retrouvés*, précise-t-il. Je ne sais pas si son influence fut aussi déterminante et effective qu'il le suppose. Selon lui, elle vous aurait, à cause de ses extravagances, incitée à le quitter mais comme, avec son insistance, elle n'obtenait aucun résultat, elle aurait tout manigancé en étant, cette fois-ci, bien certaine du résultat, c'est-à-dire du chaos qu'elle engendrerait. Je n'ai jamais rien compris à la solidarité féminine. Je sais seulement que les femmes peuvent s'entraider autant qu'elles peuvent s'entre-déchirer les unes les autres et qu'elles y mettent parfois plus de détermination et d'ingéniosité. Lui prétend que votre amie voulait délibérément vous nuire. Il la suppose jalouse. *Elle t'enviait*, écrit-il, *elle enviait notre amour et elle a participé froidement à son anéantissement.* Ses accusations sont d'une gravité exceptionnelle. Je ne sais pas. Je n'aimerais probablement pas votre amie. À première vue, je l'ai trouvée foncièrement superficielle alors que j'ai immédiatement remarqué la gravité de votre regard. Votre amie ne pourrait pas me plaire pas plus qu'elle ne plaisait à votre amant, je suppose. Je déteste ces femmes qui parlent continuellement parce que le silence les terrifie. Non seulement votre amie n'arrêtait pas de poser mais elle jacassait tout le temps. Je déteste ces femmes qui caquètent sans arrêt. Elle avait sûrement une raison, je crois, de craindre le silence. Elle essayait constamment d'occuper votre esprit par de banals propos. Par son manque d'esprit, elle assiégeait le vôtre et peut-être votre ancien amant a-t-il raison en ce qui la concerne, s'il s'agit bel et bien d'elle. Peut-être avait-elle quelque chose à se reprocher qu'elle voulait dissimuler en vous parlant sans cesse comme pour nier la réalité qui devait certainement occuper votre esprit et, elle, la tenailler de l'intérieur. Elle mesurait la responsabilité de ses actes. Malheureusement, ces gens-là ne se sentent jamais responsables du mal qu'ils répandent autour d'eux et sur toute la planète. C'est à se demander s'ils sont même conscients de cette part de responsabilité. En fait, ils en sont conscients mais ils possèdent le pouvoir de le nier, de tout nier de leur responsabilité à la conscience qu'ils en ont ; ils nient, ils sont des négateurs nés et ne reconnaissent pas comme bon, pour les autres, ce qui leur semble interdit d'emblée. Ce sont aussi de grands calculateurs. Tout chez eux procède de formules arithmétiques. Ils ne font rien sans que ça leur rapporte. Ça ne leur rapporte pas toujours mais, ce qu'ils ont fait, ils l'ont fait dans le but que ça leur rapporte et tout ce qu'ils font toujours, ils le font dans ce seul et unique but. Nous pourrions dire que c'est là le rapport qu'ils ont établi au monde. Ces gens sont détestables, voire exécrables. Il faut se garder de les fréquenter car ce sont aussi des flatteurs qui, évidemment, vous flattent dans le but d'en tirer, éventuellement, un certain profit. Leur rapport au monde est basé sur ce que leur esprit étroit imagine pouvoir vous soutirer d'une quelconque manière. Évidemment, ce sont des esprits foncièrement obtus et unidimensionnels.

Je me sens comme une orange moisie. Je tiens cette impression d'une observation populaire et la sagesse qu'il nous est possible d'en tirer me le signifie. Vos papiers m'ont révélé que vous étiez diététicienne dans un centre hospitalier. Vous connaissez peut-être ce dont je parle. Avez-vous déjà remarqué ? Dans une caisse d'oranges, une seule d'entre elles pourrit pour toutes les autres. Je suis l'orange qui accumule toute la pourriture du monde et qui doit en assumer l'injustifiable responsabilité. Je n'ai aucun mérite ; si nous les choisissons, nous ne les déterminons jamais ces destins qui nous échoient. Nous choisissons certes de tourner à gauche ou à droite, mais le chemin que nous empruntons conduit toujours au même point, le-point-de-notre-destinée. Nous sommes partie intégrante de l'univers mais nous n'en avons aucune conscience.

Quand on ouvre une caisse d'oranges, on découvre souvent une orange moisie, verte ou bleue, tomenteuse — c'est peut-être ce qu'entendait le poète en parlant de la terre — qui n'a pas contaminé les autres car, dans le monde des oranges, la vie ne se passe pas comme dans celui des fraises ou des hommes. Dans le monde des fraises, l'individu corrompu contaminera tous ceux de son entourage tant qu'on ne l'isolera pas. Ce spécimen se maintient en vie en s'adjoignant des compagnons et cela ne lui est possible qu'en propageant son cancer. Comme pour votre amie, d'ailleurs. Dans l'univers des oranges — les paysans en témoigneraient —, une seule orange assume toute la pourriture du monde des oranges. Celle-là est une orange qui meurt pour toutes les autres. Sa vie puise son essence dans le sacrifice. Les chrétiens et les

113

oranges possèdent cette chose en commun. Souvent, vous allez découvrir cette orange en train de pourrir au fond de la caisse. L'orange moisie se tient presque toujours au fond de la boîte. Si elle a la prétention de racheter toutes les autres, elle possède l'humilité nécessaire pour être la dernière et son entreprise de rachat ne pourrait se faire si elle ne se percevait pas ainsi. Je suis une orange pourrie.

Il n'y a pas de conditions plus invivables que celle de la désespérance. L'espoir ne nous est jamais donné d'emblée. Certes, les enfants espèrent, mais leur espérance n'est qu'illusion et ils sont toujours les premiers à s'en rendre compte. L'enfant réalise très tôt que toutes ses espérances ne sont que de pâles reflets de ses désirs inassouvis. Elle, elle avait réalisé très tôt que tous ses espoirs n'étaient qu'illusions. Enfant, elle réalisa que tous ses espoirs n'étaient, au fond, qu'illusions et que le passé, en plus d'être immuable, ne pouvait aucunement se racheter. On ne peut pas s'amender du passé. Même en se faisant crucifier, on ne rachète pas le passé. À peine aurait-il été possible de détourner l'avenir tant l'homme est impropre. Seul le présent et la conscience des hommes pourraient, à la rigueur, racheter dans l'avenir le présent qui passe.

Le Dieu, que nous nous sommes donné, a été abandonné par son père et, parce qu'il a été abandonné par son père, il nous a abandonnés à son tour. L'être est toujours abandonné par son père et c'est bien ainsi. Le père lui-même ne peut pas vivre dans l'ombre de son père. La psychanalyse n'a rien inventé. Toute l'histoire de l'humanité n'est qu'une histoire d'abandon. Nos vies sont dérisoires et l'abandon effectif. Comprendrons-nous un jour que *nous avons été abandonnés sur un tison plus refroidi que les autres*, comme l'écrivait Lemaître, lancé dans l'univers à une vitesse vertigineuse qui nous fait tourner la tête et nous empêche de voir l'autre et son malheur. Si j'avais pu comprendre la moindre parcelle de son malheur, peut-être serait-elle encore avec moi. Quel imbécile je fus! Je n'ai rien pu faire pour elle. Si j'avais disposé de plus de temps, peut-être serait-elle encore là. J'ai sous-estimé son malheur et cela a provoqué sa perte donc la mienne. Il n'existe aucune solution pour racheter mon erreur, car il s'agit d'une erreur capitale.

Quant à cette autre femme, je ne sais que vous dire. J'avoue qu'il est difficile pour un homme, quand il décide d'être avec les femmes, de parvenir à n'être qu'avec une seule femme. J'ai toujours appliqué le principe du tout ou rien. Quand un homme désire une femme, il finit par les désirer toutes. Si les conquêtes amoureuses lui donnent l'impression qu'il ne tourne pas en rond, il en tapissera sa vie. C'est une dynamique à laquelle lui-même ne comprend rien, j'imagine. Il court ici et là pour se convaincre qu'il laissera quelque chose. La femme lui reproche souvent, et même toujours, de ne rien comprendre à sa dynamique à elle qui est toute différente; quand un homme est avec une femme, il regarde toujours les autres femmes, il les désire et il voudrait les aimer toutes; cela la femme ne peut pas le comprendre, car même pour l'homme cela demeure incompréhensible. Le fait de se savoir bon pour une stimule apparemment l'ambition à être bien pour toutes. Se sent-il coupable de la séquestration prénatale? J'imagine que cela relève de ces ressorts qui relancent sans cesse l'espèce. Homosexualité, bisexualité et hétérosexualité — dans la mesure où nous en acceptons l'irresponsabilité — reviennent au même; la sexualité, qu'importe comment elle nous sert, elle ne nous sert toujours qu'illusoirement. C'est une autre illusion qui se greffe et que l'on croit inhérente à l'illusion-fondamentale. On la croit indissociable mais elle ne l'est pas du tout. Si la sexualité a quelque chose à voir avec l'amour, cela ne peut être que circonstanciel et l'amour n'a rien à voir avec la sexualité si ce n'est qu'elle en révèle certaines possibilités quand elle se retrouve éprouvée aux confins du légal. C'est sur le sexuel, après tout, que nous légiférons. Sur le sexuel et sur le code de la route, bien sûr. Cela voudrait-il dire que le sexuel participe de l'amour quand il parvient à défier l'ordre collectif établi ? N'est-ce pas ce qu'il nous réserve d'intime, de personnel ? Deux êtres ne font pas l'amour, si ce n'est pour refaire le monde. Leur association demeure tributaire de leur volonté de se détacher du troupeau. Dans chaque orgasme, il y a un refus du monde tel qu'il est. Et ce refus ne peut être que politique. La pornographie n'est pas autrement utilisée, actuellement, que pour sa contribution à l'établissement d'un contrôle étatique kafkaïen. Pensons à cette scène du *Château* où l'arpenteur dort avec l'institutrice. Quelle intuition de génie ! Il n'y a plus de vie privée que dans l'acceptation du jeu tel qu'il se déroule. Il n'y a donc plus d'espace privé pour les dissidents, les séditieux. Et l'État policier est là qui réclame le clonage des bons sujets. La démocratie, c'est aussi capricieux que l'amour : à la minute où on la croit acquise, son état se détériore.

Qui confond amour et sexualité s'expose, évidemment, au malheur, vous ne croyez pas ? D'ailleurs, votre expérience démontre assez bien que vous confondiez l'un et l'autre ou que vous les associiez d'une manière qui vous a rendue fort malheureuse. C'est ce qui ressort de la lettre que vous étiez en train d'écrire et qu'il ne recevra probablement jamais. Quand vous écrivez : *Tu ne t'es jamais demandé réellement ce que cela m'avait fait.* Je ne suis pas certain que vous ayez raison. Je ne veux pas prendre la défense de votre amant. Toute votre histoire ne me concerne pas. D'ailleurs, ces histoires ne me concernent plus et je me demande vraiment pourquoi j'en discute. Il n'en demeure pas moins que l'approche de l'homme en regard de la sexualité s'avère fort différente de celle de la femme. Qui a tort, qui a raison ? Évitons de nous aventurer sur des chemins qui ne conduisent nulle part. Quand votre ancien amant vous dit : *Tu aurais préféré ne rien savoir, peut-être ; moi, je ne pouvais pas continuer de t'aimer et te mentir à la fois. Mon mensonge t'aurait privée de ta beauté. Quel sacrilège, aurais-je commis !* Je crois que votre amant a raison. Les gens empruntent toujours des raccourcis simplistes pour s'expliquer ce qu'ils n'ont pas le courage de regarder en face. Celui-là est fou, celle-là est bipolaire, cet autre est hypocondriaque ; ces étiquettes n'expliquent jamais rien. Cela ne fait que nous détourner d'une réalité plus profonde que l'on aborde que superficiellement parce que ses dimensions nous effraient. Nous n'aimons pas nous approcher du gouffre d'où jaillit la vie. Non seulement nous n'aimons pas nous pencher au-dessus de ce gouffre, mais nous refusons de vivre le sentiment de vertige qui s'empare alors de nous quand, inévitablement, le gouffre se trouve subrepticement au bout de nos pieds. Quelle lâcheté ! La mère qui se penche sur le berceau de son enfant, donc au-dessus du gouffre qu'elle a lancé dans le monde, ne peut supporter le vertige de son repentir. L'amante qui reçoit son amant et tente d'oublier ses dernières infidélités, tente d'oublier l'ampleur du gouffre qui les sépare et qu'ils ne parviendront jamais à franchir. L'amant, qui tient son amante entre ses bras et repense à tous les autres amants auxquels elle s'est donnée, se penche au-dessus d'un abîme. Elle ne comprendra jamais et cherchera toujours à s'expliquer. Lui, n'arrivera jamais à lui faire comprendre ce que lui-même ne peut s'expliquer. Voyez-vous, un des graves problèmes de ce temps n'est pas seulement qu'on voudrait tout expliquer ; non seulement on voudrait tout expliquer, mais il faudrait que chacun s'explique à tout moment comme s'il se trouvait au jour du jugement dernier. Le jugement dernier représente une autre aberration. L'homme n'a de compte à rendre qu'à lui-même. S'il a été méchant — et tous les hommes le sont plus ou moins —, il est le premier à s'en rendre compte. L'illusion-plus-que-séculaire-du-jugement-dernier ne favorise que la tendance totalitaire de l'État moderne. Il n'y aura pas de jugement dernier parce qu'il n'y a pas eu de faute originelle. Nous n'avons rien demandé et nous recevons tout. Où est la faute ? Tout cela n'est, au fond, qu'une invention pour endormir les enfants, le soir. Adultes, nous devenons en mesure d'apprécier les richesses de la nuit parce que nous avons appris à nous défendre de toutes les interdictions infantiles de la famille donc de la société. Évidemment, nous ne parvenons à en apprécier toutes les richesses que dans la mesure où nous sommes parvenus, dans les mêmes proportions, à nous défaire des interdictions qui, constamment, nous sont imposées.

Plusieurs de ces contraintes prennent des allures de permissions, voyez-vous? Nous sommes parvenus à semer la confusion entre le permis et le possible. Tout est aujourd'hui permis, mais plus rien n'est possible. Inutile de vous préciser qu'il existe aussi une conspiration-contre-les-possibles qu'on ne peut dissocier de l'ensemble des conspirations qui constitue en fait une grande-conspiration-contre-l'être. Qu'il s'agisse du mystère, de la présence, des possibles et des savoirs, des mots et du silence, la conspiration est effective et représente une incroyable-conspiration-contre-l'être. Mais il est trop facile de dire: il existe une incroyable-conspiration-contre-l'être; encore faut-il parvenir à la définir. Votre ancien amant parle d'une conspiration contre lui: *Elle a tout fait pour que nous nous séparions car elle t'enviait. Ce petit week-end, elle l'avait organisé en entier; tout avait été machiné par son esprit retors.* On ne peut pas être plus clair. Car votre amie connaissait la teneur de votre alliance. Elle savait que le pacte-de-la-vérité risquait de faire éclater votre relation et c'est dans la connaissance du pacte-de-la-vérité qu'elle a organisé ce fameux petit week-end. Je ne sais pas si votre amie est aussi méchante que le prétend votre ancien amant, mais cela ne m'étonnerait point. J'ai moi aussi connu des femmes très méchantes comme, évidemment, j'en ai connu de très bonnes et de très nobles. C'est étrange de voir à quel point les contraires s'attirent et comment une femme noble s'associe à une femme carrément vile au risque de perdre ce qui lui tient le plus à cœur. Je ne crois pas au qui-s'assemble-se-ressemble. Je crois plutôt qu'il s'agirait dans bien des cas de l'exact contraire. Peut-être fréquentons-nous notre contraire pour mieux apercevoir ce que l'on est véritablement. Avez-vous remarqué, quand deux jeunes femmes se fréquentent, la beauté de l'une des deux est souvent très prononcée alors que celle de l'autre est si commune qu'on se demande ce qu'elles fabriquent ensemble. En fait, la beauté de l'une est mise en évidence par la disgrâce de l'autre. Son orgueil se trouve ainsi accentué. La moche dit constamment à la belle : *C'est toi qu'ils regardent*, et la belle est fière d'être ainsi regardée et sa vanité se gonfle. N'allez surtout pas penser que j'aie quelque dédain pour les moches ; au contraire, à l'instant où j'ai découvert la vanité de la beauté, je n'ai eu de regard que pour les moches et j'ai vécu avec des moches les plus-belles-pages-de-mon-histoire-amoureuse. Nous avons tous autant que nous sommes une histoire-amoureuse qui constitue la somme-de-nos-bienfaits-et-de-nos-méfaits-dits-amoureux. Bien sûr, il n'y a pas de femme plus exécrable qu'une moche qui se croit belle. Celle-là s'avère détestable qui s'empare de la vanité de la beauté, qui n'en possède pas les qualités visibles et atrophie par le fait même les qualités dites invisibles qu'elle pourrait avoir. La véritable moche est la femme qui se sait telle et qui s'accepte telle. C'est la même chose pour les grosses. N'allez surtout pas penser que j'aie quelque chose contre les grosses. Je ne dis pas obèse parce qu'utiliser ce mot relève de la nouvelle censure et, s'il s'agit d'un euphémisme, il ne fait perdre aucun kilogramme à la femme qu'il épargne. Les amantes les plus formidables que j'ai eues, et que je n'oublierai jamais, étaient toutes grosses ou moches mais acceptaient pleinement et consciemment leur obésité et leur *mochitude*. Ces femmes ont été des amantes extraordinaires et inoubliables. Les belles sont souvent très capricieuses. Conscientes de leur beauté, elles vous réclament chaque jour leur tribut. La moche ou la grosse ne réclame rien et vous donne tout. La belle est souvent obsédée par les imperfections de sa beauté. Souvent, elle se croit moins belle qu'elle est et se reproche constamment de ne pas avoir le teint qu'il faudrait, le nez qu'elle aurait aimé avoir, les seins qu'elle n'aura jamais et les fesses qu'elle trouve trop ou pas assez renflées alors que toutes les fesses de femmes sont la plupart du temps superbes et fascinent l'homme sans contrepartie. La moche est moins capricieuse. La belle, constamment insatisfaite de sa beauté, se distingue de la moche en ce point que cette dernière respecte si précieusement ses rares atours, qu'elle les met constamment en évidence mais avec un charme qui ne vous donne aucune chance. Dans les bras d'une moche, un homme oublie rapidement qu'elle l'est alors que dans les bras d'une belle, un homme ne peut que découvrir sa *mochitude*. Il y a deux sortes de progression : la progression ascendante et la progression descendante. Avec la moche qui s'accepte telle qu'elle est, un homme vit la progression ascendante et découvre chaque jour sa beauté et la science avec laquelle elle utilise ses rares mais solides atours. Avec la belle, l'homme vit la progression descendante et ne découvre chaque jour que les imperfections de la beauté et du caractère. La belle a souvent trop conscience que la beauté est éphémère, cela la rend capricieuse. Elle demande sans cesse à être rassurée car elle est profondément inquiète. La moche sait que si elle plaît aujourd'hui, elle plaira demain. La nature a donné à son cœur ce qu'elle a refusé à sa physionomie. La belle doit se construire un cœur à partir de matériaux qui lui apparaissent extérieurs, tant elle se sent coupable qu'ils lui aient été attribués. Comme elle a tout ce qu'il faut pour plaire aux hommes, elle se dit qu'il doit lui manquer l'intelligence. Sa beauté rend sa parole suspecte. Mais elle n'a pas choisi les critères de beauté correspondant à son époque. Cela fait toute la différence. Vous n'êtes certainement pas la même femme que vous étiez à vingt ans et c'est cela aujourd'hui qui vous rend belle et l'acceptation de cette réalité vous rend irrésistible. Vous aurez quarante ans bientôt et vous l'acceptez pleinement : cela seul suffit à établir votre beauté ; il suffit de vous croiser pour le savoir.

Voilà ce qui s'est passé. J'étais assis en retrait derrière vous et votre amie. Je vous observais et j'écoutais ce que vous disiez. En fait, je ne comprenais pas toutes vos paroles, mais je les savais sincères. Évidemment, vos paroles se perdaient souvent dans les niais éclats de voix de votre copine. Je me disais : *Je ne pourrais plus vivre avec une femme, mais le pire châtiment qu'on pourrait m'imposer serait celui de vivre avec cette femme.* Je pensais évidemment à votre amie et je plaignais l'homme qui devait partager sa vie avec elle, en autant que cet homme pût jamais exister. C'est très exactement ce que je me disais. Quel enfer ce doit être que d'écouter du matin au soir son incessant bavardage. Certes cet homme est béni ou damné. Peut-être n'est-il qu'un bon tondeur-de-gazon et qu'il a développé ce passe-temps afin de pouvoir se reposer d'elle. Il a acheté une maison et un terrain immense afin de pouvoir passer ses week-ends à tondre le gazon pour ne plus l'entendre. Seul, avec sa tondeuse, il se repose d'elle et les vrombissements du moteur le reposent de sa jactance à elle. Il préfère mille fois le ronronnement mécanique de sa tondeuse à son caquetage tout aussi mécanique. Peut-être lui fait-elle l'amour de façon purement mécanique, quel malheur ! Cet homme est un saint ou un damné.

Voilà ce qui s'est passé. Vous étiez assise et me tourniez le dos. Vous aviez rendez-vous et le temps passait sans que vous vous en soyez rendu compte. Subitement, vous et votre amie avez regardé vos montres et vous avez constaté que vous étiez en retard. Vous avez alors quitté précipitamment. Dans votre empressement, vous avez enfilé votre manteau, vous vous êtes penchée pour prendre votre sac de voyage et vous avez fait glisser sa courroie sur votre épaule. J'imagine que la pression qu'exerçait la courroie de votre sac sur votre épaule vous a fait croire que vous y aviez mis aussi votre sac à main. Mais votre sac à main est resté accroché au dossier du siège par-dessus lequel vous aviez mis votre manteau.

J'aurais pu vous prévenir mais vous avez quitté si rapidement. Il aurait fallu que je vous rattrape. Le temps de m'apercevoir de votre oubli, vous étiez déjà sortie. Et puis, il aurait fallu que je vous adresse la parole et je n'adresse plus la parole à personne si ce n'est pour l'échange indispensable de certaines informations d'ordre commercial. Je n'adresse plus la parole à personne parce que c'est ma règle maintenant.

Vous adresser la parole pour vous prévenir de votre oubli aurait constitué une double dérogation à la règle ; je ne pouvais à la fois vous rendre service et vous adresser la parole. J'ai mis tant d'années à formuler clairement cette règle, vous comprenez ? Une règle n'est rien si elle n'est pas respectée et une règle personnelle plus que toute autre car elle devient une véritable-règle-de-vie. J'ai enfreint, pour vous, ma véritable-règle-de-vie. Je l'ai enfreinte en vous rendant service — comment aurais-je pu pousser mon infraction jusqu'à vous adresser la parole ? Et puis, vous savez, quand un homme n'adresse plus la parole à ses contemporains, qu'il ne s'en tient dans ses rapports qu'au strict minimum, il lui devient presque impossible d'improviser un quelconque *madame vous oubliez votre sac*. Même de cet ordre, les propos lui semblent d'une gravité exceptionnelle, de l'ordre justement de cette exception qui viendrait toujours confirmer la véritable-règle-de-vie. Peut-être, avais-je, pour la confirmation de cette règle, besoin de cette exception ? Je n'en sais rien.

Pour la confirmation de quelle règle, votre ancien amant avait-il, quant à lui, besoin de cet exceptionnel week-end tramé par votre amie ? Je sais, toute cette histoire ne me concerne pas ; mais, puisque j'ai failli à la règle en décidant de vous rendre service, vous devez m'écouter. En plus, en lisant puis en relisant la lettre de votre ancien amant et celle que vous projetiez lui expédier ; en confrontant vos discussions sur des événements que vous évoquez tous les deux sans les nommer, j'ai pu, il me semble, reconstituer votre-histoire.

Mais voilà déjà plus d'une semaine que vous êtes privée de votre sac et de vos papiers. Comme j'ai été négligent. J'ai retranscrit les lettres et je conserve une photo de vous ; cela devrait me suffire pour pouvoir continuer. Oui, cela me suffira. Car je dois continuer. J'ignore pourquoi, mais je sais que je dois. Cela relève curieusement du devoir au moment où je ne voulais plus en exercer aucun. Je vous retourne sur-le-champ votre sac et je vous reparlerai ultérieurement de cette histoire avec votre amant. Pour le moment, je crois qu'il est impératif que vous récupériez vos papiers. Comme j'ai été négligent, peut-être avez-vous entrepris les démarches pour en obtenir d'autres, car dans ce monde nous ne sommes absolument rien sans nos papiers, n'est-ce pas ? Je vous les retourne aujourd'hui par courrier spécial pour que vous en repreniez possession le plus tôt possible et je m'excuse du retard que le dérangement de mon esprit a pu occasionner. En fait, si je n'avais pas été aussi perturbé par votre sac, il serait déjà en votre possession. Je m'en excuse encore une fois. Je me suis laissé aller et j'en ai honte. Je vous prie de m'excuser et je vous ferai parvenir la suite dans les semaines qui suivront. Après, vous n'entendrez plus jamais parler de moi, je vous le promets.

Week-end 1

Comment pourrais-je ne pas vous détester ? M'en remettrai-je, un jour ? Cette épreuve s'avère la plus lamentable de toute mon existence. Et je n'ai plus votre photo pour m'aider à surmonter ce malheur. Voilà plus de trois mois que je ne vous ai pas écrit. Les circonstances en ont décidé ainsi. Je ne pouvais pas prévoir tout ce qui allait arriver. Comment, en effet, aurais-je pu anticiper votre réaction ? Je ne connais plus rien de ce monde, il me semble. Comment aurais-je pu imaginer mes conditions actuelles d'existence et l'état d'esprit dans lequel je serais pour vous écrire une suite que vous ne recevrez peut-être jamais et qui, du reste, ne vous intéresse peut-être même pas ? Quelle histoire ! Quelle histoire dérisoire ! Une histoire qui m'a d'ailleurs créé suffisamment d'ennuis. Je ne sais vraiment pas ce que je fais avec vous et, peut-être, seule cette ignorance justifie l'attachement dont je dois bien être le jouet étant donné tous les ennuis que vous m'occasionnez. Je ne veux pas nécessairement vous connaître, mais je veux savoir ce qui m'attire à vous, ce qui fait que vous m'avez irrésistiblement attiré et inéluctablement acheminé à ma perte. C'est d'ailleurs ce que vous n'avez pas compris. Je ne vous en tiens pas rigueur. Je ne me suis jamais intéressé à votre personne d'une manière particulière mais, plutôt, me suis-je passionné pour les réactions et les émotions que votre présence a provoquées chez l'être fragile que je suis. Je me suis particulièrement, trop particulièrement en fait, attaché à décrypter ces réactions et ces émotions que votre présence a provoquées en moi. Je ne vous dirai pas à quel point vous m'avez déçu. En fait, vous n'avez absolument rien compris.

Permettez-moi de vous expliquer ce qui s'est véritablement passé. Même s'il m'importe peu que vous compreniez ; je dois néanmoins vous expliquer. Ensuite, vous n'entendrez plus jamais parler de moi, je vous le promets.

Vous étiez assise au bar avec votre amie. Vous sirotiez vos verres et discutiez calmement. J'aime les femmes qui savent discuter posément, qui ne s'emballent pas pour un rien et qui ne posent pas continuellement. Votre amie s'excitait ou, si vous me prêtez l'expression, faisait la folle. Soudainement, elle a regardé sa montre et a réalisé, je crois, que vous étiez en retard pour votre rendez-vous. Vous avez vous aussi regardé votre montre, mais vous ne vous êtes pas affolée outre mesure. Par contre, entraînée par votre amie, vous vous êtes levée précipitamment et vous avez enfilé votre manteau. Vous, vous vous êtes penchée pour ramasser votre sac de voyage puis vous êtes toutes les deux sorties. Je vous ai regardée quitter et, en reposant mon regard sur le banc que vous occupiez — comme pour vous y voir miraculeusement apparaître —, j'ai réalisé que vous aviez oublié votre sac. Je me suis immédiatement levé et j'ai déposé mon manteau sur votre banc pour qu'il le couvre entièrement. Le barman est venu me voir et j'ai commandé une bière à laquelle je n'ai d'ailleurs pas touché. Vous comprenez, je ne pouvais remettre votre sac à ce barman dont la physionomie ne m'inspirait aucune confiance. Je devais choisir entre son hypothétique honnêteté et la mienne. Je préférais la mienne dont je suis absolument sûr. N'allez pas croire que je sois prétentieux. Je me considère foncièrement honnête et je n'en ai aucun mérite. Je suis honnête pour la simple et bonne raison que je ne veux rien devoir à personne. Quand je commets une erreur, je paie pour l'erreur que j'ai commise et, comme présentement, je n'en veux qu'à moi-même. Je n'ai évidemment pas toujours été ainsi, car tout cela s'apprend et fait évidemment partie de l'acquis et non de l'inné. J'ai appris à être honnête, car je ne voulais rien devoir à personne et je ne voulais rien devoir à personne pour la très simple et très légitime raison qu'il est, par expérience, préférable de se garder des autres.

Aussi, j'ai déposé mon manteau dans le but de ramener votre sac chez moi et de vous le retourner par courrier recommandé. Cela a représenté une erreur monumentale de ma part. Je venais de commander une bière quand j'ai découvert ma méprise. Si vous reveniez, vous auriez pu facilement m'accuser de vol; il était théoriquement impossible que j'aie posé mon manteau par-dessus votre sac sans le voir. J'aurais eu beau prétexter que j'avais l'intention de vous le retourner, vous ne m'auriez jamais cru. Je n'aurais pas menti car je ne mens jamais même si cela ne m'attire toujours que des ennuis. Dire la vérité n'occasionne que des embêtements et celui qui dit toujours la vérité ne se fait que des ennemis. C'est la règle, à présent. Une règle gravée sur le palace de la très grande et très pesante conspiration-contre-la-vérité. Je vous aurais dit la vérité, mais vous ne m'auriez pas cru et peut-être celui qui ne m'inspirait aucune confiance, ce barman, qui ressemblait à tous les barmen, aurait-il tenté de me nuire irréparablement en vous incitant à prévenir la police. Alors vous auriez porté plainte et les policiers non plus ne m'auraient pas cru, car les policiers pas plus que les juges n'acceptent les subtilités des comportements, ne croient en l'honnêteté des gens. Pour eux, nous sommes tous des criminels en puissance, car ils vivent autant du crime que ceux qui les commettent. Le serveur ne m'avait pas apporté ma bière que toutes ces pensées traversaient mon esprit pour lui faire prendre conscience de la grande méprise dont je serais, dont j'étais peut-être la victime potentielle. On aurait pu très aisément m'accuser simplement de vol, du vol d'un sac à main d'une très grande valeur. Vous savez, j'ai eu l'occasion lors d'un voyage à Paris, de visiter la maison qui les fabrique. J'ignore comment vous vous l'êtes procuré? Ce ne sont pas toutes les femmes qui peuvent se permettre l'achat d'un tel sac. Peut-être l'avez-vous reçu en cadeau? Peut-être ce présent était-il lié à ce fameux week-end avec votre amie? Peut-être l'avez-vous oublié afin de chasser de votre esprit toutes les conséquences amères dont il aurait été la cause. Cela a pu se faire inconsciemment, vous savez. Mais que serait-il advenu, si vous étiez revenue? Je ne pouvais pas rester là. On aurait pu m'accuser du vol du sac plutôt que de son contenu car, sans en être absolument certain, il m'avait semblé reconnaître un de ces sacs réservés à l'élite financière.

Il fallait donc que je quitte. Délaissant mon verre, j'ai enfilé mon manteau en le laissant sur le dossier du banc. Ce faisant, je faisais du même coup glisser sur mon épaule la courroie de votre Hermès. En même temps que mon manteau, votre sac s'est retrouvé sur mes épaules. Atlas tenait le monde. Inutile de vous dire que j'ai quitté l'endroit à toute vitesse. Quelles sensations se sont alors emparées de moi. J'avais l'impression de vous ramener chez moi à votre insu mais avec votre consentement explicite. Je vous l'ai dit: *Je ne crois pas au hasard*. En plus, j'avais le pressentiment que votre oubli se confondait au geste manqué. Il n'y a jamais de hasard pour l'inconscient.

Arrivé chez moi, je l'ai posé délicatement sur ma table de travail, — sur ce que j'appelle ma table de travail mais sur laquelle je n'effectue aucuns travaux — et je l'ai regardé longuement. Je ne voulais pas l'ouvrir. Je le regardais et cela me suffisait tant il me fascinait. J'avais l'impression que, tout en s'interdisant à moi, il m'appelait. Je ne voulais pas l'ouvrir. briser le charme. Enfin, je me suis d'abord dit: *Tu n'as pas le droit d'ouvrir le sac à main de cette femme. Tu ne la connais pas et elle ne te connaît pas. En l'ouvrant, tu chercherais à la connaître et cela, tu le sais bien, n'entraînera que ton malheur. Chercher à connaître cette femme n'entraînera qu'affliction et infortune, car le chemin de la connaissance des femmes ne conduit toujours qu'au malheur et cela tu le sais par expérience et pas autrement. Ne nie pas ton savoir expérimental de la connaissance-des-relations-avec-les-femmes.* Votre sac était posé devant moi et l'odeur de votre parfum, mêlée à celle de ce cuir de très grande qualité, m'enivrait totalement. J'étais sous l'emprise d'une force inconnue, mystérieuse. Un univers allait m'être révélé et cette révélation inattendue, insoupçonnable et inespérée pouvait signifier la fin de quelque chose et le début d'autre chose. J'ignorais tout mais je pressentais tout. Je me retrouvais soudainement sous l'emprise d'une fascination nouvelle. Toute la vie et la perception que j'avais pu en avoir à ce jour m'apparaissaient subitement différentes. L'espoir, un faux espoir, bien sûr, semblait renaître. Je n'y croyais pas, je ne pouvais pas y croire. Ma vie ne pourrait plus jamais être la même. Vous imaginez ? J'étais assis à ma table de travail, j'observais votre sac, je pensais à vous, je vous revoyais en pensée et je me disais : *Maintenant, ta vie ne pourra plus jamais être la même.* Depuis votre rencontre, ma vie n'est effectivement plus la même. L'espoir, ce faux espoir — tous les espoirs sont faux, c'est le propre de l'espoir de s'inscrire dans le domaine-du-mensonge —, l'espoir renaissait en moi comme la flamme que la braise recèle et couve jalousement jusqu'à ce qu'elle renaisse en toute fulgurance pour la consumer totalement, une dernière fois avant la cendre. Votre présence était souffle ranimant la braise, était souffle donc esprit, esprit corrosif et vivifiant. Je contemplais votre sac et un flot de sentiments confus m'envahissait. L'espoir virevoltait en moi et je savais que cet espoir ne pouvait être que faux, aussi faux que la vie, aussi vivifiant et corrosif qu'elle. Et je me disais : *Cela ne peut pas être vrai. Tu as rêvé. Tu as rêvé cette femme comme tu as rêvé toutes les femmes de ta vie. La vie n'est qu'un rêve et les femmes que l'on aime ne sont qu'un merveilleux rêve qui se greffe au rêve-fondamental-qu'est-la-vie. Et quand le rêve devient cauchemar, c'est la vie elle-même qui le devient. Tout alors n'est et ne peut être qu'un dérisoire cauchemar qui tient au courage qu'il nous manque pour y mettre fin. Peut-être rêves-tu cette femme comme tu rêves ta propre existence. Ni elle ni d'autres n'existent ; tu ne peux être certain que de ta propre existence et comme tu n'es qu'un rêve, ce*

rêve tu peux très bien l'appeler cauchemar. Tu n'es qu'un tour-
ment. Et cette femme, comme toutes les autres femmes, fait partie
du tourment que tu es, en fait. Ta mère en te mettant au monde n'a
engendré qu'un immense chagrin. Les femmes n'engendrent tou-
jours que des cauchemars. Quand elles mettent un enfant au
monde, c'est un cauchemar de plus qu'elles lancent dans la folie-
générale-et-l'incohérence-totale-du-monde. Tout cela n'a pas de sens
parce que tout cela ne peut pas et ne pourra jamais en avoir. Nous
avons beau nous rabattre sur une quelconque idée de l'éternité ;
l'éternité existe bel et bien mais ne se définit pas nécessairement
autour et à partir de nous. Tu es seul et tu le demeureras, car telle
est la condition de tout homme, aujourd'hui. La solitude constitue
ton seul héritage, la solitude constitue notre seul-et-unique-héritage.
On t'a légué une solitude que tu as eu l'audace — mais, en fait,
l'insouciance — de léguer à ton tour. Cette femme n'existe pas plus
que celle dont tu conserves l'impression de l'avoir chérie n'a existé,
n'a pu exister. Tout n'est qu'un rêve et ce rêve n'est au fond qu'un
cauchemar. Tu n'es, toi-même, qu'un simple cauchemar.

Toute la nuit, je suis resté à garder votre sac en me disant qu'il ne fallait pas que je l'ouvre, qu'il était mille fois préférable que je m'en débarrasse, qu'importe la manière. Je me disais qu'il m'était toujours possible de faire marche arrière, de retourner dans ce bistro et de l'y abandonner. Mais je n'arrivais pas à avoir confiance en ce barman contre lequel je vous avais, au fond, protégée. En plus, quand je repensais au courage dont j'avais fait montre, un sentiment de peur extrême m'envahissait. J'aurais pu le laisser n'importe où. J'aurais pu m'emparer de son contenu et ne plus vous en donner aucune nouvelle. Vous voyez, tout était encore possible mais, en fait, plus rien n'était possible puisque j'avais mis les pieds dans le processus-de-la-connaissance-d'une-femme. Qui dit processus dit progrès, et qui dit progrès dit activité et développement dans le temps. Le temps m'était-il compté ? Pouvais-je encore reculer ?

J'avais posé votre sac sur ma table de travail et, durant toute la nuit, j'ai erré dans mon appartement. Je montais à l'étage, je regardais le parc sous la neige ; je pensais à vous et j'étais obsédé par ce que j'avais fait. Je venais de me trahir dangereusement, d'entrer de plain-pied dans le processus-irréversible-de-la-connaissance-d'une-femme, processus qui, par expérience, n'entraîne toujours qu'affliction et désarroi. Alors, je redescendais et je m'assoyais devant votre sac, je le regardais, puis je regardais à nouveau le parc. Je tentais d'imaginer son contenu et je m'interdisais formellement de l'ouvrir. *Vaut mieux t'en débarrasser*, me disais-je sans cesse, *si tu l'ouvres, tu es un homme mort*. Je ne croyais pas si bien dire. J'avais passé la nuit à tourner en rond, incapable de dormir. Je pressentais l'inévitable et constatais que je ne pouvais plus reculer. Retourner au bar représentait un risque incontesta-blement inutile. J'en avais suffisamment pris, me semblait-il. Alors seulement, j'entrepris de vous écrire.

Je n'avais jamais ouvert le sac à main d'une femme si ce n'est lors de ma période de grande maladie. Mais, à cette époque, quand je fouillais dans les différents sacs de ma femme, ce n'était pas pour faire l'inventaire de leur contenu ou pour y commettre quelque indiscrétion mais pour y déni-cher de l'argent délaissé, souvent de la simple monnaie. Je ne me serais jamais permis une aussi détestable manie. J'avais beau être malade et souffrir effroyablement, mon idée demeurait néanmoins faite sur ce siècle-de-l'indiscrétion et, jamais, je n'aurais dérogé à ma-règle-de-discrétion. Elle avait beau être ma femme, j'avais beau être son mari, je m'obli-geais à lui admettre rationnellement une existence propre sans moi et je m'efforçais à me façonner une existence hors la sienne, mais une existence l'incluant néanmoins. Je n'y par-venais pas toujours mais je m'y efforçais. Avec la première, je n'y parvenais pas toujours parce qu'au départ les dés avaient été pipés, pourrions-nous dire. Nous étions jeunes et le manque d'expérience amoureuse participait grandement à la confusion du ménage. Comment la vie entre un homme et une femme, ces deux entités-essentiellement-différentes-qu'on-prétend-complémentaires, ne pourrait être autrement que confuse?

Ainsi, il s'est passé près de vingt-quatre heures, peut-être plus même, avant que je me résigne à ouvrir votre sac. J'avais complètement libéré ma table-de-travail-sur-laquelle-je-n'effectue-aucuns-travaux. Une anxiété extrême m'envahissait. Je ne me reconnaissais plus. Il y avait longtemps que je n'avais pas été sous l'emprise d'une telle agitation. Nerveux, je tremblais inexplicablement. J'éprouvais tour à tour chaleurs et frissons. Je regardais votre sac et je n'en croyais pas mes yeux. Avec quel sang froid, je l'avais recueilli! Et de quelle audace avais-je témoigné? En fait, si devant votre sac je n'étais plus le même, c'est que, déjà en vous apercevant, je ne pouvais plus être le même. À mon insu, sans me consulter, vous avez transformé ma vie. Mes idées, que je n'arrivais jamais à mettre sur papier, s'alignent maintenant avec la plus grande et la plus merveilleuse clarté. Cela était complètement inattendu. J'ai ouvert votre sac. Outrepassant mes droits, j'en ai décortiqué le contenu et cela m'a ouvert à la vie. Je sais, j'aurais pu me limiter à ne recueillir que votre nom et votre adresse et vous le retourner. Mais je suis d'abord tombé sur une photo de vous. Par la suite, il y a eu cette lettre de deux pages dans laquelle il m'a semblé découvrir votre écriture. En comparant la signature à l'endos de vos cartes, j'ai déduit qu'il s'agissait bel et bien de votre écriture. *Je n'écris pas souvent*, disiez-vous, pour débuter, *car je ne sais pas écrire*. La lettre de votre amant compte exactement vingt pages alors que la vôtre, celle que vous projetiez peut-être lui expédier mais que vous auriez probablement gardée pour vous, n'en contient que deux. Pourtant votre lettre en dit autant que la sienne, sinon plus. Cela vous étonne? Dans sa lettre, votre amant, en vingt pages, ne m'en dévoile pas plus que vous en deux. Ce n'est pas que vous soyez plus concise. En fait, votre style permet beaucoup plus d'interprétations que le sien qui ne laisse pas beaucoup d'espace pour lire entre les lignes.

Prudent, son style est à la fois concis et précis et quand il s'étend, quand il élabore, il le fait toujours dans l'unique but de gêner toute interprétation. Avec vous, c'est tout le contraire. Vous voyez, encore une fois, comme les contraires s'attirent. L'espace que vous laissez entre les lignes est infiniment plus révélateur, car ces silences contiennent souvent plus d'informations que vous seriez vous-même portée à le croire. Dans les silences et entre les lignes, l'inconscient s'exprime et se dévoile.

Quand vous écrivez : *Tu ne t'es jamais douté du mal que tu me faisais.* Et, la phrase suivante : *Moi, si j'avais su, mais je ne sais pas, je ne sais jamais, je n'arrive jamais à savoir.* Vous ne nommez pas les événements, vous n'y faites jamais directement allusion, mais on sent leur présence et leur nature constamment. On perçoit le contexte général qui a engendré une telle lettre. En deux phrases, vous passez de son aventure à la vôtre, si vous me permettez de m'exprimer ainsi. J'aime bien ce terme d'aventure pour exprimer ce qui n'en est pas et ne saurait en être. Dans les relations dites conjugales, il arrive souvent que les hommes et les femmes se permettent ce qu'ils appellent une aventure. Les hommes plus souvent que les femmes à ce qu'on dit. De part et d'autre, ils excusent cet écart à la vie conjugale en prétextant qu'il ne s'agissait que d'une aventure. Or, aventure provient du latin *adventura* qui est le futur d'advenir. L'aventure contient toujours une révélation de ce qui viendra. Dans le présent, l'avenir contient déjà, en filigrane, une révélation de l'avenir. Vous voyez comme les mots s'avèrent beaucoup plus révélateurs que nous sommes portés à le croire. Je préfère la compagnie des mots à celle de mes semblables. Nous oublions trop aisément qu'ils sont les seuls à nous permettre d'être et que, même si nous sommes peu de chose, sans eux nous ne serions absolument rien. Elle n'est pas innocente cette histoire du verbe-qui-s'est-fait-chair, d'autant moins qu'il s'agirait plutôt de son exact contraire : c'est la chair qui s'est faite verbe. Existe-t-il de mystère plus enraciné que celui de la reproduction ?

C'est peut-être la raison pour laquelle les hommes sont plus bavards que les femmes même si, partout, l'on ne répand que le contraire. Les deux possèdent des manières différentes d'être à la fois bavards et silencieux. Leur rapport aux mots est fondamentalement différent tout comme leur rapport au temps. Évidemment, le rapport entre les mots et le temps demeure extrêmement complexe à établir. Les philosophes ont discuté du rapport qu'il existait entre l'être et le temps, entre l'être et le néant, mais personne n'a osé écrire sur l'être et les mots. Bien sûr, plusieurs auteurs en ont éprouvé soit le désir soit le besoin mais, bien que chacun y ait mis son nez, aucun ne s'y est risqué pleinement. La chair est aux mots ce que le néant est à l'espérance humaine et les mots sont au temps ce que la chair est à l'humanité.

Votre ancien amant vous trouvait légère. Tous les hommes finissent par trouver toutes les femmes d'une frivolité inexplicable. C'est exactement la même chose pour les femmes. Elles finissent toujours par trouver tous les hommes volages, irresponsables. On ne s'étendra pas sur ce qui est léger ou lourd, responsable ou pas. Contentons-nous de dire que la légèreté nous attire tout autant qu'elle nous rebute. N'est-ce pas ce que vous explique votre amant ?

Et j'imagine que vous lui prêtiez beaucoup de talent pour l'écriture. Vous aviez raison, votre ancien amant écrit très bien, du moins possède-t-il la finesse et la délicatesse nécessaires ainsi que la perspicacité requise pour devenir écrivain. Peut-être est-ce cela qui vous a séduite chez lui ? Les femmes sont toujours attirées par les écrivains parce qu'on décide souvent de devenir écrivain dans le seul but de les séduire ou d'en séduire le plus grand nombre. C'est la raison pour laquelle j'ai toujours refusé de devenir écrivain même si je savais qu'il m'était possible de développer ce talent. On écrit pour séduire et, comme on voudrait séduire toutes les femmes y compris sa mère, rien n'est plus approprié que la lettre à la bien-aimée. Dans sa lettre, votre ancien amant poursuit le projet fou de vous séduire à nouveau. Il vous aimait cet homme et il vous aime encore, j'imagine. Il ne le cache d'ailleurs pas quand il écrit : *Tu me quittes et tu m'aimes encore. Je ne suis plus avec toi et je continue de t'aimer ; tout cela est insensé.* La réalité même est insensée. Le monde est une contradiction en soi. L'en-soi d'une chose en élimine toujours l'aspect quantitatif. L'en-soi d'une chose renvoie exclusivement à son aspect qualitatif, à l'essentiel, au monde des valeurs et le monde n'a de valeur que dans sa contradiction même ; il en est ainsi de la vie. De la vie en général, bien sûr, mais aussi des diverses vies amoureuses, en fait de la vie-amoureuse-en-soi ou ce que l'on désigne comme tel. Mais peut-être vous aimait-il mal ? Je ne crois pas qu'un homme et une femme puissent jamais parvenir à bien s'aimer. Certes au début, ils ont tous les deux l'impression de s'aimer comme ils n'ont jamais aimé et cela d'une manière fulgurante quasi surnaturelle. Ils n'en croient ni leurs yeux ni leurs oreilles et tout cela dépasse grandement leur entendement. Mais, très tôt, le naturel revient et les travers des personnalités qui, hier encore, se trouvaient dissimulés sous la passion ne le sont plus par cette même passion-dite-amoureuse qui n'a pas disparu, comme l'insinuent souvent les femmes, mais s'est tout simplement déplacée le long de l'axe de la vie à deux, c'est-à-dire le long de l'axe-de-la-vie-quotidienne-partagée. À cet égard, la femme demeurera toujours un mystère pour l'homme : autant elle demeure préoccupée par le quotidien et les questions pratiques, autant elle exige que son partenaire lui permette de s'envoyer pleinement en l'air. Et je ne fais pas de grossiers jeux de mots. La plupart du temps, je trouve les jeux de mots bassement ridicules. La femme aime et éprouve continuellement le besoin de s'envoyer en l'air avec l'homme qu'elle qualifie d'homme-de-sa-vie, mais s'envoyer-en-l'air ne charrie pas nécessairement toutes les connotations sexuelles de l'expression populaire consacrée. La femme n'est pas une fourmi rouge bien qu'elle puisse souvent nous sembler se comporter comme cette fourmi ailée.

Par la suite, je suis tombé sur sa lettre. Chaque ligne de cette lettre, me semble-t-il, recelait des témoignages de son amour pour vous. Que ne vous dit-il pas pour que vous acceptiez de le revoir? Mais vous vous y refusez systématiquement. *Nous nous sommes fait suffisamment de mal*, écrivez-vous. Vous ignorez peut-être que c'est le mal qui les entoure et la douleur qu'elles charrient qui rendent nos vies amoureuses significatives. J'ai aimé follement une femme qui m'a rendu fou et j'ai mis du temps à me remettre du mal qu'elle m'a fait, si je ne m'en suis jamais remis. Votre ancien amant aussi écrit quelque chose de semblable. Il y a comme une sorte de fatalité dans l'amour et cette fatalité relève de la nature intrinsèque de l'amour, je crois. Il n'y a rien de plus fou et de plus contradictoire que l'amour. L'amour est basé sur une contradiction, sur l'union des contraires comme je vous le disais. Mais cette union des contraires, pour pouvoir s'accomplir, doit reposer sur une volonté de reconnaissance de la contradiction même.

Votre photo me manque terriblement. Je n'aurais jamais cru. Je m'y étais attaché. Depuis que j'ai ouvert votre sac, pas un seul jour ne s'est passé sans que je la consulte, vous voyez? Aujourd'hui, tout est différent. Je vous ai revue mais je n'ai pas osé vous regarder. Je n'aurais jamais osé porter à nouveau les yeux sur vous. Cela aurait, il me semble, constitué un double affront. Du moins, l'auriez-vous interprété ainsi. Car il y a eu affront, selon vous. Comme on peut se tromper sur les gens en général et sur les femmes en particulier. Je ne voulais plus vous écrire, mais j'ai toujours votre adresse et encore plus votre souvenir. J'aurais aimé ne plus vous écrire, mais je me rends bien compte que j'en suis incapable. C'est ainsi. Quel triste sort que le mien! Avant de vous rencontrer, je commençais à être heureux, il me semble. Sans croire au bonheur, dans le nihilisme le plus pur, je commençais sans naïveté aucune à être heureux. Mais aujourd'hui, je suis le plus malheureux des hommes. Je ne vous connaissais pas, je vous ai rencontrée et maintenant je me meurs de détresse.

J'imagine que ce scénario qui n'a jamais cessé de se vérifier se réalise aujourd'hui aussi implacablement. Je devrais peut-être dire fatalement. Cela n'a évidemment rien à voir avec vous. Il s'agirait d'une autre qu'il en serait de même. En fait, il s'agit de moi et de mon attitude inéchangeable à l'égard des autres en général et des femmes en particulier et, en ce qui concerne les femmes, ici et maintenant, de vous encore plus particulièrement mais aussi d'elle, vous comprenez? Il m'est difficile de vous parler de l'effet que vous avez produit sur l'être que je suis ou que j'étais — car depuis que je vous ai rencontrée, je ne suis vraiment plus le même et tous ces travaux niais m'accablent.

Vous savez ce qu'on m'a obligé à faire aujourd'hui? C'est ridicule. Je ne vous accuse pas; je n'en veux toujours qu'à moi-même. Je ne peux effectivement n'en vouloir qu'à moi-même et me répéter sans cesse : *Cela t'apprendra. Cela t'apprendra à désirer rendre service. Tu prétendais que tu savais, mais cela n'était que prétention. Tu n'es que prétention. Auras-tu jamais ta leçon?* Et maintenant, je crois la recevoir péniblement cette leçon. Tout est évidemment ma faute. Je ne vous en tiens pas rigueur. Nous sommes responsables de la compréhension que l'autre déduit de nos agissements et de nos choix. Nous ne pouvons pas ne pas l'être.

Quelle humiliation et quelle imbécillité. J'ai perdu une journée entière de ma vie. Durant tout l'après-midi, on m'a fait placer des tables et des chaises puis, durant toute la soirée, distribuer des cartes. Ma situation est risible, vraiment dérisoire. Au moins cela me fournit-il l'occasion de découvrir des travers insoupçonnés de notre société. La société du jeu, voilà ce que le gouvernement a instauré et rien d'autre; c'est aberrant! L'indépendance collective souhaitée par l'indépendance financière rêvée de chacun, quelle équation! Notre histoire est pourtant là pour nous dire qu'il ne suffit pas de le rêver, ce pays, pour qu'il existe enfin. J'étais attendu à midi.

Je n'avais pu fermer l'œil de la nuit. Cette nuit-là, j'ai réfléchi sur mon sort. Je me disais : *N'y va pas. Laisse tomber. Qu'ils viennent te chercher et qu'ils t'enferment plutôt.* J'aurais effectivement préféré être enfermé plutôt que d'assister à un spectacle aussi désolant. Tout l'après-midi, j'ai travaillé à aménager la salle. Avec deux individus auxquels je n'ai pas adressé la parole, j'ai installé tables et chaises en vue de la soirée. Une fois la salle aménagée, on m'a laissé rentrer chez moi pour que je puisse souper. Je devais revenir pour dix-neuf heures, ce que je fis. À contrecœur, il va sans dire. Peut-être, le faisais-je pour vous ? Seule cette situation humiliante m'unit aujourd'hui à vous. Si j'avais su ce qui m'attendait ! Déjà, à dix-neuf heures, le troupeau s'était rassemblé. Des hommes et des femmes qui semblaient tous se connaître et qui échangeaient les pires banalités. J'ai entendu plus d'insignifiances dans la demi-heure précédant l'activité que je ne pourrai jamais en entendre pour le reste de mes jours, vous imaginez ? C'est ridicule ! Toute cette histoire, notre-histoire, est fondamentalement dérisoire. Alors, le troupeau est entré. Hommes et femmes caquetant, piaillant, s'échangeant salutations et faux sourires dessinés pour la plupart par de fausses dents. Le spectacle était tout simplement trivial, d'une vulgarité indescriptible. Des femmes grosses et non obèses, des hommes laids et vulgaires, d'une vulgarité niaise, des individus vieillis et repoussants par leur manque d'éducation. Quelques personnes prétentieuses faisaient aussi partie du tableau. Moi, je leur acheminais les cartes que certains et certaines désiraient choisir. Certaines rejetaient systématiquement les cartes sur lesquelles se retrouvait le chiffre treize ; d'autres ne recherchaient et n'acceptaient que celles qui affichaient ce fameux chiffre. C'était à n'y rien comprendre ; le cœur m'en levait. Un vrombissement incessant envahissait la salle à mesure qu'elle s'emplissait de toutes ces cruches. Sans perdre de temps, je distribuais les cartes et, comme dans un cauchemar, il aurait fallu que j'aie trois têtes et dix bras. On m'interpellait constamment. Je devais être partout à la fois. Des visages ridicules, des faces grotesquement maquillées, des lèvres de femmes mises dérisoirement en évidence par un rouge à lèvres couleur Sacré-Cœur, des hommes bedonnant au sourire des plus niais, une foire, la foire tenue dans l'ignorance en vue de l'indépendance. Et cette assemblée très nationale m'apostrophait pour que je lui vende la carte comme si j'avais pu, par ma malchance et mon malheur, leur porter chance alors que je les aurais tous expédiés en enfer pour qu'ils y expient non leurs péchés, mais celui de leurs parents de les avoir mis au monde. Ensuite, quand l'animateur prit le micro, il y eut un tonnerre d'applaudissement puis un silence glacial. Et les numéros se mirent à défiler, mitraillés par les haut-parleurs qui les vomissaient un à un et que l'assistance béate — le troupeau, en fait — gobait en remuant sèchement les bras et les mains pour recouvrir d'un jeton la case du numéro prisé. Certains joueurs avaient disposé devant eux des dizaines de cartes qu'ils déchiffraient avec une rapidité incroyable. Soudainement, un ou une illuminée, plus souvent une illuminée, se levait en agitant frénétiquement les bras et en criant comme une désespérée qu'elle venait de gagner. Quand l'illuminée se trouvait dans ma section, je devais me rendre vérifier un à un les numéros en les criant bien fort pour que l'animateur puisse les authentifier. J'aurais préféré mourir. Je ne méritais pas ce châtiment. C'est ce que je me suis dit en rentrant chez moi tantôt. Je marchais dans la nuit en me disant : *L'incarcération aurait été mille fois préférable à ce châtiment. Il n'y a pas de justice en ce monde. Que de l'injustice et ce châtiment en est la preuve.* Et j'avais pleinement raison. Je suis rentré chez moi et j'aurais certes pleuré si je ne m'étais depuis longtemps débarrassé de ces épanchements glandulaires. Le jour où j'ai décidé de vivre seul, j'avais réglé ce problème de défectuosité glandulaire. Depuis ce jour, je n'ai plus pleuré de ma vie. Je considérais avoir suffisamment pleuré. J'ai effectivement beaucoup pleuré dans ma vie et je n'en ai jamais eu honte. Comme le dit votre ancien amant dans sa lettre : *Un homme qui ne pleure pas n'est pas un homme.* Je lui donne entièrement raison là-dessus même si cela n'est aucunement de lui mais d'un poète qui ne fit aucun compromis avec lui-même.

Un homme qui ne pleure pas n'est pas un homme, avait-il déclaré lors d'une entrevue. Il avait parfaitement raison. Une vie sans pleurs n'est pas une vie. Je crois avoir pleuré la part qui m'avait été affectée de pleurer ; voilà pourquoi, aujourd'hui, je ne pleure plus. J'ai pleuré et je n'en ai jamais éprouvé une quelconque honte pour la simple et bonne raison qu'il est non seulement normal de pleurer, mais que le contraire relève justement de l'anormalité, de la monstruosité, en fait. J'ai pleuré pour diverses raisons mais toujours à cause d'une femme. Cela me semble aller de soi. J'aurais pleuré à cause de vous, ce soir-là, mais j'en suis maintenant incapable. J'ai décidé de ne plus pleurer parce que je considère qu'il n'existe rien, en dehors du cosmos, qui mérite que je m'émeuve. Quand je me promène dans la campagne et que je contemple les étoiles, il m'arrive de verser quelques larmes. En fait, l'eau me monte aux yeux. Devant l'immensité du cosmos, la perspective particulière de l'infini, on ne peut s'empêcher de constater l'imperfection humaine, le vide de nos vies et de déplorer la médiocrité du monde dans la conscience que nous en avons ; cela suffit à nous faire monter les larmes aux yeux, vous ne pensez pas ?

La journée m'a paru longue mais la nuit me réconforte, à présent. Je ne serai pas obligé d'y retourner demain. De midi à minuit, j'ai exécuté le travail-dit-légalement-communautaire qui m'était imposé. Ce ne fut pas facile et à plusieurs reprises je me suis dit : *Pourquoi ne te suicides-tu pas ?* Et j'ai sérieusement pensé au suicide. En fait, pas une seule journée de mon existence ne s'est déroulée sans que je pense au suicide. Même enfant, je pensais quotidiennement au suicide. Le suicide fait partie intégrante de ma conscience de la vie. Longtemps je me suis dit que seule la pensée du suicide participait à me maintenir en vie et à en affronter toutes les embûches. Le suicide agissait comme un phare sur le golfe et orientait ma conscience de la vie ou la conscience que je pouvais en avoir. La conscience que nous avons de la vie nous échoit plus que nous la choisissons. Il ne faut néanmoins pas nier l'importance de nos histoires personnelles. Car je crois que nous choisissons nos pensées, du moins nous choisissons d'entretenir les pensées que nous voulons comme si elles nous habillaient l'esprit, comme nous préférons telle ou telle chemise plutôt qu'une autre selon notre humeur ou nos intentions. Nous sommes entièrement responsables de nos pensées. Si nous sommes incapables de choisir l'ordre dans lequel elles se présentent, pas plus que leur exacte nature, nous choisissons néanmoins d'entretenir celles qui nous parlent le plus, celles qui nous ressemblent le plus, celles qui nous expliquent en quelque sorte à nous-mêmes ; celles qui éclairent, en fait, notre existence. Le suicide a éclairé toute mon existence et pourtant je ne me considère pas candidat au suicide. Je ne me considère pas comme pur-candidat-au-suicide. Cela ne veut pas dire que je ne me prévaudrai jamais de cet avantage que possède l'homme sur toutes les autres espèces. S'il nous est possible de nous enlever la vie, c'est que nous sommes conscients de la vie et de sa fin. Le suicide est indissociable de la conscience. Pas de conscience et pas de suicide possible, vous comprenez ? Le suicide s'appuie sur la conscience et l'idée de suicide n'est possible que pour les êtres hyperconscients. Exacerbée, la conscience conduit au suicide et c'est la raison pour laquelle les suicides collectifs sont très rares. Le troupeau ne pense jamais au suicide et l'homme adhère au troupeau pour éloigner de lui la pensée du suicide mais, ce faisant, il s'éloigne aussi de sa-propre-conscience, de la conscience-même-de-la-vie. Il perd en quelque sorte contact avec son être propre et renie progressivement toute existence intérieure qui lui serait tout aussi propre. Il possède alors tout pour vivre heureux dans un État dit moderne.

Ce premier week-end d'incarcération douce m'afflige encore plus et j'ignore jusqu'où la justice poussera la torture envers les citoyens qui ne se conforment pas à ses nouvelles prescriptions. Il n'y a pas si longtemps, cette histoire aurait été rejetée d'emblée par les tribunaux. Vous-même auriez peut-être trouvé mon geste singulier, certes, mais tout à fait inoffensif. Que s'est-il passé? Que s'est-il passé pour que cette histoire, notre-histoire, se retrouve devant les tribunaux? Vous pouvez me le dire?

Ne dites rien.

Week-end 2

Ces week-ends me sont tout simplement insupportables. Tout cela est d'un ridicule incroyable et inavouable. Le fameux week-end dont parle votre amant aussi s'avérait d'un ridicule inqualifiable. En fait, il se devait d'être à la hauteur d'un des principaux traits de caractère de votre amie, vous ne pensez pas ? *Ce n'est pas tant ce qu'elle a fait qui la rend fautive, mais la manière dont elle s'y est prise pour le faire,* écrit-il. Cela est fort intéressant, car c'est justement dans leur manière de faire avec les autres que les gens se distinguent vraiment. Nous vivons tous sensiblement les mêmes choses, traversons tous les mêmes épreuves et c'est seulement dans notre manière de réagir, puis d'agir, que se révèlent nos véritables intentions. Par ce week-end que votre amie a tramé, elle n'a fait que dévoiler sa malignité et, au fond, sa petite mesquinerie. Ce sont les termes exacts de votre amant : *malignité et mesquinerie.* Et il a bien raison, je crois. D'autant plus raison que votre amie connaissait votre pacte et savait, qu'en apprenant ce qui s'était passé, votre amant ne pourrait pas l'accepter et que ce serait la fin de votre union. Bien sûr, elle ne devait certainement pas en être aussi certaine que je le prétends ; du moins, c'est ce que je préfère croire. Mais peut-être son incertitude ne tenait-elle que dans la possibilité d'échec de son plan. Car, il lui était impossible de prévoir votre réaction. Impossible de savoir si vous accepteriez de jouer son jeu et celui de son amant, le jeu de cet amant qu'elle avait

143

elle-même accepté de jouer. Votre amie a tramé à votre insu la fin de votre union. Sous une apparente innocence, elle s'est rendue coupable de la-fin-de-votre-union. Elle ne pouvait pas ne pas savoir et c'est peut-être sa culpabilité à votre égard qui la rendait si nerveusement bavarde le soir de notre rencontre. Je sentais bien qu'il y avait anguille sous roche et le contenu de la lettre de votre amant me l'a révélé. La lettre ne dit-elle pas : *Que son amant soit descendu à la même auberge que vous et le même soir que vous ne peut aucunement être pure coïncidence.* Vous avez naïvement cru votre amie et son histoire de pure coïncidence. Comme vous êtes naïve ! Comme les femmes peuvent être naïves, parfois. Mais peut-être n'êtes-vous pas aussi naïve que le prétend votre amant. Peut-être avez-vous feint la naïveté comme parviennent à le faire avec brio plusieurs de vos semblables ? Les femmes possèdent des armes étrangères à l'homme et conservent jalousement les secrets de leur utilisation. Peut-être votre naïveté n'est-elle qu'une feinte ? Pourquoi mon insertion dans votre vie vous a-t-elle offusquée ? Pourquoi punir ce témoin que l'on pourrait dire factuel ? Car il n'existe pas d'autres termes. Ou pire, auriez-vous porté plainte sur les conseils empressés de votre amie qui ne veut pas d'un témoin supplémentaire de son crime de lèse-union ?

En fait, j'écrivais intentionnellement contre février. Je vous ai rencontrée le treize et je me suis mis presque immédiatement à vous écrire alors qu'en février il est quasi impossible de se livrer à une activité intellectuelle soutenue. Ce n'est pas pour rien que février est le mois le plus court de l'année. Il est le mois le plus court parce qu'il est le mois le plus difficile à traverser. En février, les gens désespèrent. On ignore ce qui se passe en eux ; ils vont et viennent et éprouvent l'impression de tourner en rond. En février, nous éprouvons tous l'insupportable-impression-de-tourner-en-rond. En fait, ce mois nous ramène à nous-mêmes et à ce que nous valons véritablement et fait surgir hors d'elle la conscience de notre impuissance. Bien sûr, nous attendons que l'hiver finisse mais l'hiver se prolonge toujours indéfiniment car, quand il ne se poursuit pas effectivement, il se prolonge dans nos esprits. Février est le mois de la purification. Quand l'hiver, comme cette année, a été doux durant les mois de décembre et de janvier, il se rattrape toujours en février — car on ne peut échapper à l'hiver qu'il nous soit imposé par la force ou non —, les froids arrivent alors et les neiges aussi. Il faisait froid le soir où je vous ai rencontrée et, quand je suis rentré, il neigeait. C'était la première tempête de l'hiver. La ville se trouvait transfigurée et moi aussi. J'ai passé la nuit à veiller sur votre sac et à contempler la neige. Ce fut l'une des plus belles nuits de ma vie. La neige enveloppait mon esprit et conférait à ma sérénité une plénitude inexprimable. C'est l'immense avantage des pays où il neige et où le froid sévit, mais c'est vraiment leur seul avantage.

Cet hiver tout est arrivé en février, il me semble. Le froid, la neige et vous. Vous m'êtes arrivée en février, le soir de la première tempête de l'hiver. La neige avait déjà commencé à tomber quand je vous ai vue pour la première fois. Je suis sorti ce soir-là, car il m'était impossible de rester chez moi. Il y avait cette date anniversaire qui me troublait corps et âme. Peut-être, cette première tempête présageait-elle de votre rencontre ? Décembre et janvier avaient été doux et il n'y avait eu que quelques petites précipitations insignifiantes. Partout les gens disaient : *Nous n'avons pas eu d'été et nous n'aurons pas d'hiver ; le monde va de travers.* Les gens disent toujours cela quand la température n'est pas conforme à l'idée qu'ils souhaitent naïvement qu'elle soit. Évidemment, les gens causent de la température constamment parce qu'ils n'auraient rien à se dire sans cela. La température et le sport permettent aux gens de conserver l'illusion qu'ils ont des choses en commun et qu'il est bon de se les transmettre et d'échanger des impressions. Ils appellent cela : communiquer, mais, en fait, il n'y a rien qui s'éloigne plus de la communication que ces énoncés machinaux sur la température et le sport. La plupart du temps, l'interlocuteur n'écoute même pas ce que l'autre raconte et la preuve en est que, lorsqu'il prend la parole à son tour, il répète exactement ce que l'autre vient de lui dire. S'il avait écouté, il en ajouterait ou en retrancherait, mais comme il n'a pas écouté, il répète à peu de chose près les mêmes paroles et il le fait de manière tout aussi machinale que son interlocuteur qui ne s'en aperçoit pas car il n'écoute pas plus. Il ne commet aucune erreur sur l'exactitude du contenu car, en ce qui concerne la température, nous sommes tous toujours d'accord. Qui oserait affirmer qu'il fait chaud quand on gèle, qu'il pleut quand il ne pleut pas et ne neige pas quand il neige ? Ici, dans les endroits publics, l'on entend que des propos sur la température et le sport. Et l'on entend que des propos de cet ordre parce que, autrement, ces endroits deviendraient invivables parce que les gens n'auraient rien à dire et que le silence leur deviendrait vite insupportable et les rendrait tous carrément fous. Permettez-moi néanmoins de vous faire remarquer qu'ils ne le sont pas moins à répéter sans cesse les mêmes sornettes sur les mêmes sujets. Ils le sont autant mais leur folie représente une moins grande menace contre leur personne. Répéter chaque jour entre eux les mêmes propos sur la température et le sport ou encore sur le bureau relève évidemment de la folie, mais d'une folie beaucoup moins dangereuse que s'ils se taisaient tout simplement. S'ils se taisaient et refusaient de participer à la grande conspiration-contre-le-sens, ils ne deviendraient pas seulement fous, ils s'entre-tueraient tous. J'ai beaucoup lu sur les causes de la Seconde Guerre mondiale et sur la montée des régimes totalitaires ; évidemment, pas un auteur n'en parle, mais je puis vous assurer que trop de bruit équivaut aussi à trop de silence et dans ces cas-là, on finit toujours par s'entre-tuer. Je vous ai parlé, dans ma dernière lettre — que vous recevrez avec celle-ci —, d'un troupeau qui ne pouvait supporter le silence. Les troupeaux ne peuvent pas supporter le silence parce que, pour être membre d'un troupeau, il faut rechercher l'incessant bourdonnement d'une autorité supérieure qui n'existe pas, mais que l'on imagine exister afin de faire taire le son de sa propre voix, de sa voix intérieure. Cela explique que, partout où l'on va maintenant, il y a de la musique. Quand vous prenez le métro, vous entendez constamment de la musique ; les pièces, pour la plupart insipides et totalement inoffensives, sont sélectionnées par des firmes américaines qui se chargent de les diffuser sur tout le continent en dosant bien leur aspect bêtement paisible. Ainsi, aux heures de grandes affluences, la musique se fait discrète ; quand les gens rentrent du boulot, la musique se fait plus douce et encore plus délicate ; le matin, pour les stimuler à se rendre au travail, le rythme, comme un appel du soleil, est plus enlevant, car il faut les réveiller pour qu'ils aillent perdre une autre partie de leur vie à travailler au néant collectif, à se sacrifier pour le capital ; tard le soir, comme pour prévenir les déversements de violence et d'inconduites, le rythme est d'une douceur à désarmer le dernier des barbares. Quand vous effectuez vos courses, vous entendez toujours la même musique ; que ce soit au supermarché, chez le marchand de chaussures, au café, chez le dentiste ou le médecin, dans les corridors et les ascenseurs des édifices publics, au téléphone en attendant d'obtenir la ligne, chez le marchand de journaux et le libraire, vous entendez toujours la même musique sélectionnée et diffusée par des firmes spécialisées dans le comportement-du-troupeau-humain. C'est la conspiration-contre-le-silence.

J'ignore si je me rendrai jusqu'au bout. Je ne sais pas si j'en suis capable pour la simple et bonne raison que j'ignore si je désire vraiment me rendre jusque-là, d'autant plus que toute cette histoire, qui ne me concernait pas, m'a occasionné les pires ennuis. La conclusion de votre ancien amant demeure néanmoins fort intéressante. *Tellement sotte*, écrit-il, *qu'en te manipulant, elle ne se rendait pas compte qu'elle était elle-même manipulée. Elle s'est rendue aux caprices de son amant et l'a regretté. Mais son regret, elle l'éprouvait pour elle-même et non pour ce qui allait advenir entre nous, cela est certain.* En fait, vers la fin de sa lettre, votre ancien amant semble la disculper. Du moins les griefs exprimés semblent plus nuancés. Votre amie devient plus idiote que perverse et mesquine. À mon avis, cela n'excuse en rien son comportement, car il faut aussi être idiot pour être pervers et mesquin. L'attitude mesquine est une attitude idiote en soi et il faut mal assumer son idiotie pour utiliser la mesquinerie dans ses rapports avec autrui. La mesquinerie ne dissimule qu'une grande faiblesse de caractère, qu'une confusion de la personnalité. Ici aussi, il y a conspiration à vouloir nous faire accroire le contraire.

Ces week-ends me sont tout simplement insupportables. Ils me démontrent qu'ici rien ne change et, quand un changement se produit, c'est toujours pour le pire. Il faut voir les gens se rassembler dans les lieux de leur ancienne foi pour affirmer leurs nouvelles croyances, c'est exorbitant. Les gens entrent dans un brouhaha indescriptible, vont dans tous les sens, se choisissent un emplacement fétiche, arrivent parfois une heure à l'avance pour s'emparer de certains emplacements dits fétiches, s'installent à ce lieu précis qui devrait leur procurer toute la chance qu'ils s'imaginent être en droit d'attendre d'un tel lieu. Installés en ce lieu magique, ils sortent statuettes, talismans et porte-bonheur de toutes sortes et, en attendant que la partie commence, se racontent ce qu'ils feront avec l'argent qu'ils gagneront, s'ils gagnent. Évidemment, très peu gagnent. Ils se racontent néanmoins qu'ils auraient pu gagner et ceux qui, dans la semaine, ont gagné à la loterie se targuent de leur chance quasi proverbiale alors que ceux qui n'ont été qu'à un numéro de remporter le gros lot s'en promettent pour le prochain tirage qui, cette fois-là, sera certainement le bon. Ces gens investissent des centaines de dollars par semaine dans les différents jeux et les différentes loteries mises sur pied par l'État. Tout cela se passe évidemment dans les sous-sols des églises et il y a maintenant, ici, plus de loteries que de clochers. En fait, il y a aujourd'hui autant de loteries diverses qu'il y eut de clochers. C'est la nouvelle foi, le renouveau chrétien : le-saint-esprit-du-jeu est devenu la nouvelle colombe, le perroquet de Félicité. Leur Dieu ne meurt plus sur une croix ; il est immolé chaque jour par l'intermédiaire d'un billet décevant que l'on jette à la poubelle et ressuscite le lendemain par celui qu'on se procure pour le tirage du soir. Chaque jour, par un billet, chaque jour en lui, par lui et avec lui, cette humanité espère et se damne, se damne et espère à nouveau. Nous savons tous que, durant la vingtaine d'années qui a suivi la guerre, tous les espoirs étaient permis. Cela a eu pour conséquence d'entraîner de grands troubles. Tous les espoirs étaient permis, mais cette permission ne devait pas les rendre possibles. Les revendications augmentaient en suivant la courbe du désenchantement. Aussi, les États devaient-ils réagir; ce désenchantement généralisé représentait la plus grande menace pour l'ordre établi. Il fallait déplacer les espoirs, les aligner sur les possibles. De crises économiques en espoirs institutionnalisés, l'État devait parvenir à contrôler l'hémorragie-des-espoirs, à canaliser ce déversement pour le diriger vers le socialement acceptable, ce qui se traduit par le mondialement monnayable. L'État a alors découvert le-saint-esprit-du-jeu. Depuis, les loteries foisonnent et le peuple joue et, satisfait, se tient paisible. De l'hôpital pour enfants à l'université, en passant par le déficit gouvernemental, toutes les causes voient passer leur financement par la loterie; ainsi, en jouant, le peuple investit dans le salut collectif et chaque joueur peut espérer, s'il gagne, en un salut individuel. L'espoir est sauvé et la paix et l'ordre maintenus. Christ ne meurt pas et ne ressuscite pas vainement.

J'écrivais contre février et votre amant aussi. Sa lettre n'est-elle pas datée du cinq? Vous êtes allée skier avec votre amie. Depuis quelques années, vous passez un week-end par année seule avec elle. Votre amant ne s'est jamais opposé à cela, en ce sens qu'il ne vous a jamais embêtée avec ces week-ends institutionnalisés. Du moins, c'est ce qu'il indique dans sa lettre. Cette fois-ci, ce n'aurait pas été différent si votre amie n'avait manigancé aussi bassement.

Vous dites dans votre lettre : *J'avais le choix entre revenir à la maison ou leur faire face. J'ai décidé de les affronter.* Votre amant vous écrit : *Tu aurais dû revenir à la maison plutôt que de détruire systématiquement la confiance que j'avais en toi.* Il va sans dire, que plus rien n'est possible lorsque la confiance est détruite entre un homme et une femme. On aurait beau les forcer à poursuivre leur relation, ils ne feraient que s'autodétruire. Votre amant est d'ailleurs fort clair là-dessus : *Ma situation est intenable. Je t'aime encore et je voudrais continuer de t'aimer mais je ne le peux plus. Tu as détruit la confiance que j'avais en toi et sans confiance on ne peut rien.* La vie propage de ces ironies qui envahissent tout l'univers et s'y maintiennent aussi solidement que la loi de la gravité ou celle de l'électromagnétisme. Peut-être l'ironie du sort pèse-t-elle sur nos vies autant que la gravité sur un objet en chute.

Vous avez décidé de les affronter, dites-vous. Laissez-moi reconstituer la scène. Vous êtes arrivée avec votre amie à l'auberge vers les dix-neuf heures, j'imagine, car la note de l'auberge que j'ai retrouvée dans votre sac porte bel et bien la date et l'heure de votre arrivée. J'ai eu la preuve que vous ne vous maquilliez qu'avec une infinie discrétion en retrouvant la facture d'achat de votre trousse de maquillage ; elle était datée de l'été dernier. Vous avez loué une chambre, vous vous êtes douchées et vous avez changé de vêtements. Vous avez dû rouler durant quatre heures et vous étiez toutes les deux épuisées. Plus tard, vous êtes descendues à la salle à manger et vous vous êtes assises à une table en retrait. Votre amie a choisi cette table. Vous avez pris un apéritif le temps de regarder le menu et d'arrêter votre choix. Par la suite, vous avez commandé une bouteille de vin et, tout en mangeant, vous avez porté quelques toasts. J'ignore à quoi vous avez bu, mais cela importe peu puisqu'il me serait maintenant aisé de l'imaginer. Votre amie est enseignante et ces gens-là ne me réservent plus aucun secret. J'imagine les toasts qu'elle a dû porter. Tout devait tourner autour de sa propre personne et, quand le toast portait sur quelqu'un d'autre, elle devait le porter avec une ironie certaine. Ces gens-là se surestiment toujours plus qu'il n'est permis à un être de le faire.

C'est qu'ils sont généralement des êtres au caractère profondément irrésolu et leur insécurité les oblige à être imbus d'eux-mêmes. Bien sûr, ce sentiment-endémique-d'insécurité enlève à leur discours toute la gravité que nous serions en droit d'attendre. Mais la plupart du temps, leur discours nous révèle qu'ils ne connaissent rien en dehors de l'école qu'ils appellent prétentieusement entreprise d'éducation. Ils prétendent éduquer mais ne font que déformer. Ils déforment les enfants, tentent d'en faire des citoyens malléables — une pâte à modeler sociale — et, pour le plus grand malheur de l'humanité, ils y parviennent. Et ce faisant, ils tentent de convaincre la population que leur rôle est primordial et que leurs interventions sont bénéfiques alors qu'ils n'arrivent qu'à abrutir les enfants un peu plus que leurs parents y sont déjà parvenus. Ce sont des abrutisseurs-nés et ils vouent leur vie entière à l'abêtissement des enfants. En cela, ils poursuivent en institution et pour des salaires et des bénéfices de tout ordre l'œuvre d'abrutissement déjà commencée par les parents. Sous prétexte d'éduquer, ils façonnent uniformément toutes les générations qui leur passent entre les mains. Ils abrutissent sans s'en rendre compte parce qu'ils constituent eux-mêmes, il faut bien le dire, un pauvre-tas-d'abrutis-irrésolus. C'est par eux que l'école atteint son plus haut taux de réussite et sa réussite la plus manifeste. Comme entreprise-d'abrutissement, l'école doit s'appuyer sur les plus abrutis qui soient et pour s'engager dans l'enseignement il suffit non seulement d'avoir été abruti par l'école, mais de l'avoir été à un point tel que cette entreprise-d'abrutissement nous apparaît comme normale, comme la seule valable. C'est en cela que je les dis imbus d'eux-mêmes et tout cela est évidemment aberrant et fait partie de toutes les conspirations. En fait, les enseignants sont les plus grands conspirateurs contre l'être parce qu'ils sont les plus nombreux. Avec eux, on ne parle plus de qualité d'intervention mais de quantité d'interventions. Leurs interventions seraient dérisoires et leurs ravages anodins s'ils n'étaient pas si nombreux. En fait, ils foisonnent et c'est leur grand nombre qui constitue une menace contre l'humanité signifiante. Ils représentent la grande conspiration, ils sont des agents-de-la-grande-conspiration-moderne-contre-l'être, cela ne fait aucun doute. Leur insécurité chronique les amène à prêter serment d'obédience à l'État pour lequel ils n'hésitent pas à sacrifier les enfants sur l'autel-de-la-pseudo-connaissance, car ce qu'ils appellent connaissance n'est rien d'autre que les préjugés et les prénotions qu'ils entretiennent sur à peu près tout, mais d'abord et avant tout sur eux-mêmes. Bien protégés contre eux-mêmes, ils sont tellement abrutis que se percevoir comme tels leur est impossible. Ils tiennent leur puissance du fait que leur bêtise est si démesurée qu'ils ne peuvent l'imaginer et, ne pouvant l'imaginer, ils n'en soupçonneront jamais l'existence alors que toute leur entreprise n'est qu'une entreprise-insensée-et-totalement-dérisoire. Ils passeront leur vie à la solde de ceux qu'ils maudiront toujours et, ironie du sort, à étouffer les désirs des enfants, ils ne seront parvenus qu'à freiner l'expression de leur propre désir jusque dans l'égorgement le plus complet, l'étouffement le plus total de leur propre existence. S'éteindront-ils avec l'impression d'avoir servi à quelque chose quand l'essentiel aura constamment été échangé contre leur petite sécurité matérielle ? Simplement pour calmer les leurs, ils auront développé chez les enfants les pires peurs qui soient. Sous prétexte de normalisation, ils auront frayé avec le pouvoir jusqu'à faire vomir le dernier des débauchés. Sous prétexte d'adaptation, ils se seront sentis illusoirement utiles afin de mieux justifier leur raison sociale entièrement irrationnelle. Remarquez que cela ne m'importe plus aujourd'hui.

Donc, votre amie est enseignante et, si j'en crois la lettre de votre amant, elle est mariée depuis un certain nombre d'années. Si je m'appuie encore sur les propos de votre amant, pour rompre la monotonie de sa vie, elle se serait fait un amant. Depuis combien de temps entretient-elle cette relation avec cet homme ? Il m'est absolument impossible de le dire, mais cela n'a pas beaucoup d'importance. L'important, c'est qu'au moment où vous buviez votre café, cet homme est arrivé. Selon votre amant, elle a feint la surprise, mais il est en effet peu probable qu'il n'ait pas été prévenu de votre séjour dans ce centre de ski. Comme il le souligne, une telle coïncidence est quasi impossible. Il serait en effet peu probable qu'il se soit trouvé au même centre de ski que vous sans que votre amie l'en ait informé. D'ailleurs, il aurait prétexté un voyage d'affaires mais, comment expliquer qu'il se soit retrouvé dans un centre de ski et plus précisément dans celui-là même où vous étiez toutes les deux descendues. Votre amant a raison. Jamais, sans sa très grande complicité, il n'aurait pu se trouver là. La réalité dépasse souvent la fiction et je crois me rapprocher de la vérité en reconstituant ce fameux week-end à partir des éléments allusifs que contient la lettre de votre amant.

Après le repas, l'amant de votre amie est venu vous rejoindre. J'imagine que vous avez siroté quelques liqueurs qu'il vous a offertes. Je sais même qu'il s'est offert pour régler l'addition et que vous avez toutes les deux accepté. Votre amant vous l'a assez vertement reproché: *C'est exactement comme si tu t'étais laissée acheter*, prétend-il et il va très loin quand il affirme: *C'est dérisoire. Tout me porte à croire que si j'avais possédé sa fortune, les rôles auraient pu aisément être inversés. Tout tourne à la comédie, notre amour glisse dans le vaudeville le plus grotesque.*

Toutes ces histoires tournent effectivement toujours au burlesque. J'en ai vécu d'aussi dérisoires et d'aussi risibles, d'aussi risiblement dérisoires. Parce qu'elles sont inexplicables, ces histoires s'avèrent toujours terrifiantes. D'autant plus terrifiantes qu'il nous est impossible de les comprendre. Ces histoires font toujours surgir un immense *pourquoi?* auquel elles ne fournissent aucune réponse. Dans sa lettre, votre amant se demande encore pourquoi? Votre réponse ou le début de ce que nous pourrions appeler une réponse ne contient aucune explication. Tout au plus s'agit-il de quelques justifications à l'occasion revanchardes. Mais comment,

d'ailleurs, pourriez-vous lui expliquer ce que vous ne pouvez pas vous expliquer vous-même ? Entre nous aussi, il s'est
passé bien des choses que nous ne comprenons pas pour que
nous en soyons arrivés là. Peut-être n'avons-nous jamais
compris, en fait ? En effet, comment avons-nous appris à accorder de l'importance à ce qui, en réalité, n'en a pas ? Comment
sommes-nous parvenus à percevoir l'anodin comme essentiel, à subordonner nos vies que nous considérions comme
essentielles à tout ce qui, au fond, n'est qu'accessoire ? Toute
cette histoire avec votre amant est fondamentale ; pourtant, il
suffit d'un élément véritablement accessoire — quand on y
pense — pour y mettre fin. Nos vies sont perdues, vous savez.
Il suffit que nous les prenions le moindrement au sérieux
pour qu'elles nous glissent entre les mains. Il suffit que nous
prenions l'autre le moindrement au sérieux pour que tout
s'effondre dérisoirement. En fait, je crois que nous commettons une sérieuse erreur quand nous optons pour prendre
l'autre au sérieux. En fait, nous n'optons jamais pour cela ;
cela nous échoit plutôt. Il n'en demeure pas moins que, dans
ces histoires que nous appelons histoires d'amour, nous finis-
sons toujours par prendre l'autre au sérieux. Nous lui prê-
tons toujours des intentions qu'il ou elle n'a pas. Ce n'est pas
un problème de réalité. Il s'agit plutôt d'un problème de
perception et de représentation de la réalité. Nos vies ne sont
que fabulations. Bien ficelées dans nos têtes, elles évoluent à
l'étroit sans que nous ne puissions en saisir et l'origine et le
sens. Nous avons beau savoir qu'elles passent, nous ne pouvons l'imaginer pas plus qu'il nous soit possible de concevoir
que ces tissus d'imagination qu'elles sont s'éliment, s'usent,
s'effilochent et finissent par s'effriter comme de vieilles hardes
avec lesquelles nous finirons bien par nous retrouver seuls
un jour. Nous pensons que... nous imaginons que... nous
pensons que l'autre... et nous nous imaginons que l'autre...
mais la réalité de l'autre nous échappe autant que la nôtre.
Vous voyez ? Tout cela ne fait que se passer dans nos têtes
mais jamais dans la réalité et, si ce qui se passe dans nos têtes
constitue en quelque sorte une réalité, ce ne peut être que celle
de l'apprentissage-de-la-tolérance, d'une tolérance extrême

devant cette vie qui nous échappe. Voyez-vous, je crois sincèrement qu'une seule valeur doit être actuellement développée compte tenu du contexte particulier du siècle que nous venons de traverser et cette valeur se nomme la tolérance. Évidemment, ma position est très morale.

Week-end 3

J'ai commis une erreur, je crois. Rien de tout cela ne serait peut-être arrivé, si je vous avais parlé de moi. Mais comment? Je n'arrive plus à parler de moi-même. La plupart des sujets ne m'intéressent plus et je suis devenu le dernier sujet qui puisse s'intéresser à lui-même. Je pense mais je ne m'intéresse pas nécessairement à ce que je pense. Je ne dis tout de même pas: *ça pense*, comme font certains cyniques modernes. Je dis simplement que je pense et que ce que je pense me laisse aujourd'hui indifférent. Peut-être cela constitue-t-il un début de victoire ou un recul sur la pensée telle que conçue en Occident. Qu'importe! Je tente autant que possible de m'effacer devant ce que je crois penser, car on ne peut jamais être certain de ce que l'on pense tant la pensée est mouvante. Alors je m'abstiens et, par le biais de cet abstention, j'espère me retrouver entier et intact.

Tout cela ne serait probablement jamais arrivé si j'avais eu la délicatesse de me présenter. J'ai manqué de délicatesse, je l'avoue et je crois que tout peut nous être permis, tout peut nous être possible en autant que nous usions de délicatesse, d'une infinie délicatesse. Dans un monde aussi violent, brutal et bête que le nôtre, il existe évidemment une conspiration-contre-la-délicatesse. Je me suis dit d'emblée fou, et vous m'avez cru. Vous vous êtes dit, encouragée par votre amie: *Cet homme est fou et représente un réel danger pour la société en général et pour moi en particulier.* Pourtant, il n'y a pas plus fou moins menaçant que celui qui connaît sa folie. Cela vous ne pouviez évidemment pas le savoir. Comment auriez-vous pu ? Je n'ai d'ailleurs jamais eu l'intention d'évoquer la folie pour me disculper. Je me suis rendu coupable d'un méfait, semblerait-il, et je paie maintenant ma dette envers vous et la société. En fait, il n'y a rien de plus ridicule que l'accusé qui désire payer sa dette. Le criminel qui se présente devant les caméras et déclare qu'il paie sa dette envers la société et qu'il en est fier est un criminel beaucoup plus dangereux qu'un criminel indomptable qui récidive à la moindre occasion. Celui-ci accepte sa criminalité et en accepte pleinement les conséquences. Il n'est pas incarcéré parce qu'il a une dette à payer envers la société et qu'il doit se racheter ; il est en prison parce qu'il a commis une erreur tactique et qu'il s'est fait prendre. Toute ma sympathie va vers ce criminel. L'autre qui avoue avoir une dette envers la société est beaucoup plus criminel, car son discours se trouve immédiatement et systématiquement récupéré par l'État qui parle en lui, par lui et à travers lui.

J'ai commis une erreur et je me suis fait prendre. La sentence est sévère et m'éprouve effroyablement, mais je ne regrette rien. Les regrets ne servent d'ailleurs à rien d'autre qu'à démontrer un manque profond de cohérence. Je suis un être cohérent et parce que je suis aussi un être conséquent j'assume les conséquences de mon erreur et je ne regrette rien. Comment aurais-je pu imaginer qu'on puisse me retracer ? Cet État est beaucoup plus policier que je ne le croyais. Je pressentais depuis longtemps le caractère insidieusement policier de notre société, je n'aurais jamais imaginé qu'il soit aussi bien développé et, au fond, aussi bien organisé. Je sais, ce n'est pas facile de gérer les grands ensembles urbains sans en faire de véritables fourmilières où chacun occupe l'espace qui lui est assigné afin qu'on puisse le suivre à la trace et prévoir ses moindres écarts.

Votre avocate a évoqué le viol de la vie privée. Pourtant, si vous n'aviez pas porté plainte, tout cela serait resté entre nous et il n'y aurait jamais eu d'offense. Non, je vous vois venir. Vous pourriez interpréter cela de la façon suivante : tant que la femme ne porte pas plainte, le viol n'a pas lieu. Mais ce n'est pas ce que je veux dire. Il faut faire une distinction entre l'imposition de la force physique et l'utilisation de la force morale. Autrement, nous confondrions les régimes fascistes et les démocraties. Il est vrai que la frontière entre les deux a tendance à s'amoindrir au nom du nouvel impérialisme mondial.

Vous étiez libre de porter plainte et de mettre les limiers à mes trousses. J'ai violé votre vie privée, a prétexté votre avocate et le juge l'a cru bien que sa sentence révèle une certaine ironie. Mais le juge ne pouvait pas prévoir que sa sentence me serait beaucoup plus pénible que la simple incarcération que j'aurais mille fois préférée à ces travaux dits communautaires. Il fut un temps où on infligeait la torture aux criminels. Par la suite, quand on a construit les pénitenciers, comme le dit un auteur qui s'est penché sur la question : *On ne punissait plus les corps, on décidait de corriger les âmes.* Maintenant, on tente de faire dire au criminel qu'il regrette son geste, qu'il a contracté une dette envers la société et qu'il est heureux d'offrir son temps pour réparer son erreur. Le repentir doit maintenant être officiel comme les exécutions de plus en plus médiatisées. Réduit-on la criminalité à un enfantillage pour faire de la société une immense-garderie-d'État ? Mon crime est beaucoup moins sérieux que votre avocate l'a laissé croire. L'État s'ingère beaucoup plus insidieusement dans votre vie privée que je ne pourrai jamais le faire. Et les avocats dramatisent continuellement. Les juges infantilisent la criminalité, les avocats criminalisent les enfantillages et la machine tourne rond et leur rapporte beaucoup. Toute cette histoire ne concernait que vous et moi et serait restée entre nous si vous n'aviez porté plainte. Comprenez bien que je me trouvais dans la position du confesseur et que je n'aurais parlé de votre histoire à personne puisque je n'adresse plus la parole à personne et que cela je vous le précisais au tout début de ma lettre. Toute votre histoire se déroulait en quelque sorte sous l'embargo-discursif-du-secret-de-confession, mais cela vous ne l'avez pas compris. Il est d'ailleurs bon nombre de choses que vous n'avez pas compris, il me semble.

Ces week-ends me sont insupportables. Je ne sais pas ce qui m'attend. Il y a eu la première foire, puis une autre foire, différente de la première, plus prétentieuse à bien des égards mais tout aussi inutile, désespérante et illusoire. Encore plus illusoire, il me semble. Tout cela est fort désespérant. Vous êtes vous-même une femme, tout compte fait, désespérante. Vous avez provoqué le désespoir de votre amant et vous avez précipité le mien. Vous êtes ce que toutes les femmes sont, c'est-à-dire un appareil-générateur-de-désespoir, voilà. En mettant un enfant au monde, vous lancez un nouveau désespoir dans la vie. Par la suite, une femme peut aimer désespérément un homme et cet homme peut l'aimer tout aussi désespérément. On n'aime pas autrement que par désespoir. C'est le désespoir qui est à la base de nos associations amoureuses. Quand un homme et une femme s'acoquinent, c'est le désespoir qu'ils portent tous les deux en eux qui fournit le tonus à leur association. Tout, ici, s'édifie sur le désespoir ; la vie n'étant, au fond, qu'une foire à espérance. Quelle désolation ! Vous avez passé, je crois, au moins cinq années de votre vie avec cet homme et tout a été liquidé en l'espace de quelques heures. Quelle dérision ! Et votre amie, celle que je désigne ainsi, n'est aucunement étrangère à cela. Nouvelle dérision et véritable hérésie. Si j'ai bien compris — et je crois fermement avoir très bien compris —, elle s'est laissée convaincre par son amant et vous a offerte à lui. Elle l'a regretté certes. Du moins, c'est ce que souligne votre amant quand il parle de sa crise de larmes après le fait. Je crois vraiment, maintenant, qu'avec de l'argent tout s'achète car, si avec de l'argent on peut acheter une femme, on peut tout acheter. Si la femme se met en vente et qu'on peut l'acheter, alors tous les rapports s'avèrent marchandisés et les rapports fondamentaux aussi. Et je ne fais aucunement allusion aux prostituées de rue. Car il ne faut pas se faire d'illusions : le rapport qui s'installe entre un homme et une femme est un rapport fondamental. Si ce rapport-là, dit fondamental, peut être marchandisé, alors tout n'est plus que marchandise et ce tout comprend aussi les êtres.

Vous voyez, c'est exactement ce que je rejette de cette époque. Il s'agit, pour moi, bel et bien d'un siècle perdu et dans le temps et dans l'histoire. Un siècle qui a jailli assez inopinément de l'histoire pour se retrouver à sa périphérie et s'y maintenir. Ni fin ni début pour l'histoire, à la recherche de son centre de gravité, l'humanité semble suspendue au-dessus d'elle-même et voilà qu'elle oscille entre sa négation et sa reconnaissance, entre son abjection et sa dignité. Mais n'ayez crainte. N'allez pas croire que je me désolidarise de mes semblables. J'assume ma piètre condition d'homme-de-fin-de-vingtième-siècle-et-de-début-de-millénaire. Je l'assume aussi bien que n'importe quel intellectuel qui se croit enfin arrivé. Je l'assume autant que tous ces scribouillards qui se masturbent de mots et maculent la page blanche de leur semence cérébrale jauni et séché par la stagnation de leurs idées. À l'époque où j'étais avec les femmes, il m'arrivait de me masturber, mais jamais au sens figuré du terme. Je me faisais un devoir de me masturber au sens propre du terme et jamais au sens figuré. En fait, je me faisais un devoir de ne me masturber qu'en réalité même si cette entreprise exige une grande part d'imagination, vous comprenez ? À l'époque, je me permettais l'entretien de fantasmes qu'aujourd'hui je trouve nécessairement risibles. Je ne renie pas ce passé et je ne le renierai jamais. Notre passé est ce qui nous constitue aujourd'hui, ici et maintenant. Ces fantasmes, à l'époque entretenus, m'apparaissent aujourd'hui ridicules, mais je ne renierai jamais ces éjaculations hautement humanitaires dans un mouchoir de papier et jamais-indirectement-sur-le-papier-à-écrire-avec-la-prétention-d'être-écrivain. Il faut éviter de déplacer constamment les choses et les valeurs. Un rapport physique au monde doit demeurer un rapport physique au monde et un rapport intellectuel au monde doit aussi demeurer un rapport intellectuel au monde. Imaginez le nombre de désespoirs qu'ainsi je n'ai pas lancés dans le monde. Chaque fois, je me persuadais d'avoir commis une bonne action en m'étant gardé de commettre la mauvaise. Cela m'apparaît maintenant ridicule, car il aurait été plus simple de faire comme aujourd'hui et de m'abstenir. Il fallait que jeunesse me passe, il me semble.

J'avais oublié cette époque considérée comme une époque de grande maladie et j'ignorais réellement qu'on avait conservé mes empreintes. Remarquez que personne en dehors de moi n'avait été impliqué dans cet accident et j'avais beau être ivre mort, cela non seulement je m'en souviens très bien mais, en plus, je me souviens de m'être endormi au volant à partir du moment où je ne pouvais plus mettre en danger une autre vie que la mienne. L'entreprise, je vous le concède, était grandement suicidaire. Je liquidais mes dernières illusions sur les femmes et l'amour et par le fait même sur tout. C'était la seule voie du bonheur, me semblait-il, et je crois que c'est toujours la seule. Non seulement le bonheur est-il impossible mais nous augmentons grandement sa fragilité en associant sa réalisation à une femme. Je sais, ce n'est pas gentil de dire cela, mais il faut le dire. Vous voulez que je vous parle du ridicule de nos vies?

Dans la mienne, il y a eu deux femmes. Avec la première, ce fut un désastre. Par la suite, ce qui s'avérait non seulement normal mais s'imposait carrément, j'ai été sans femme. Je me suis remis avec une femme mais, cette fois-ci, mon engagement était réfléchi. Je savais dans quoi je m'embarquais, si vous me prêtez l'expression. Je connaissais ce que pouvait constituer vivre avec une femme et j'avais choisi celle que j'appelais la deuxième-femme-de-ma-vie ou la-premièrefemme-de-ma-seconde-vie — bien que je n'aie jamais cru à une seconde vie, je ne voulais être injuste ni envers l'une ni envers l'autre, je préférais dire : *À une deuxième femme dans ma vie*. Avec cette deuxième-femme-dans-ma-vie, tout s'est toujours bien passé parce que je me faisais un devoir de m'en occuper. C'est d'ailleurs la seule question que ma mère, qui, soit dit en passant, est à l'origine de mon malheur, m'a posée quand je lui ai annoncé que je me remettais avec une femme. Ma mère a beau être la grande responsable de mon malheur, elle savait de quoi elle parlait quand elle parlait des femmes. Sa mère aussi, d'ailleurs, qui est beaucoup plus responsable de mon éducation qu'aucune autre femme. Donc, de cette femme j'avais résolument décidé de m'occuper. Je ne prétends pas que j'y parvenais toujours bien, je m'efforçais néanmoins d'y parvenir par la correction de mes agissements. Continuellement, je remettais mes actes en question quand ceux-ci la chagrinaient. Son chagrin m'était insupportable parce que je m'en attribuais toujours l'avènement. Je me considérais responsable de son malheur comme de son bonheur dans des limites que je déterminais souvent cas par cas. Je ne me considérais évidemment pas responsable du malheur profond qu'elle portait en elle et qui entraîna sa renaissance. Il s'agissait d'un malheur particulier qui lui était personnel et contre lequel je ne pouvais absolument rien. Je m'occupais plus consciencieusement de son bonheur ponctuel et, sur ce point, j'y parvenais tout compte fait assez bien. Mais, un jour, son malheur structurel l'emporta sur tout le reste et l'ironie du bonheur que nous partagions voulut qu'elle se donnât la mort. Je détestais déjà l'espèce humaine, je me mis à la détester solidement. Je la haïssais par amour, maintenant je la déteste par rancune. Je considère la société humaine responsable de sa mort donc responsable de mon grand malheur. Si la vie lui avait été supportable, elle serait encore là. Mais la vie lui fut de tout temps insupportable parce que ce qu'on appelle l'espèce humaine l'a rendue telle. Nous nous flagornons avec les prouesses de la haute technologie, mais nous sommes encore incapables d'écouter le cœur humain et d'en comprendre un tant soit peu les avenues. À mes côtés, je puis le dire, elle était heureuse mais le reste, c'est-à-dire l'ensemble, la rendait malheureuse. Si je la rendais heureuse et que je la quittais pour affaires, pour aller dans le monde, et mes affaires m'obligeaient souvent à la quitter pour aller dans le monde, alors elle aussi devait sortir pour aller dans le monde et son bonheur se transformait automatiquement en détresse. Le monde en soi la rendait malheureuse. Aussi, autant je l'ai aimée et j'ai appris à l'aimer, autant je me suis appliqué à détester ce monde responsable de son affliction. J'exagère, pensez-vous ? Vous pensez aussi comme bon nombre de gens que nous sommes les seuls responsables de notre malheur. Il n'y a pourtant rien de plus faux. Je ne prétends évidemment pas que nos contemporains sont responsables de notre tragédie, eux qui sont tous aussi malheureux que nous. Les autres ne sont pas responsables de notre malheur et prétendre le contraire équivaudrait à leur accorder une importance qu'ils n'ont pas, qu'ils n'auront jamais et qu'ils ne méritent d'ailleurs pas d'avoir. Non, seuls nos ancêtres peuvent être considérés comme responsables de notre malheur. Pour avoir participé, bien sûr, à la génération avec toute la-nonchalance-et-l'irresponsabilité-du-monde. À quoi pensaient-ils quand ils ont engendré nos grands-parents qui engendrèrent nos parents qui nous engendrèrent à leur tour ? Il n'est pas nécessaire de remonter très loin. Quatre générations suffisent à expliquer notre malheur. Nos arrière-grands-parents étaient naïfs. Ils ont cru pouvoir refaire la vie à coup de sciences appliquées et de techniques. Ils sont allés très loin. Certains poètes et certains philosophes les ont mis en garde contre une robotisation-de-l'être-humain. Ils n'ont pas écouté. Suivant l'utopie technologique, ils ont développé et les techniques sociales et les techniques de l'être, rabaissant du même coup l'être à un produit collectivement malléable qui s'est vite révélé égal à la marchandise. Cette équation entre l'être et la marchandise, nous ne la devons pas seulement au capitalisme, mais à l'ensemble du comportement humain depuis plusieurs siècles. Le capitalisme, dans un terreau de culpabilité, n'est que l'incarnation sociale de l'idée que nous entretenons intérieurement sur nous-mêmes et nos semblables. Cela n'est pas joli. Cela suffit aussi pour que je me désolidarise de l'espèce. Je ne veux pour rien au monde et ne voudrais pour rien au monde être associé à ce rabaissement systématique de l'être, cette négation méthodique des valeurs et des savoirs au profit d'une entreprise-générale-d'abrutissement-des-individus-et-de-l'être. Demain — et peut-être déjà —, les gouvernants n'auront plus aucun mérite à régner puisqu'ils ne régneront sur rien, sur rien d'autre qu'une masse gélatineuse d'individus schizoïdes et dévastés qui n'entretiendront avec le monde d'autres rapports que des rapports médiatisés et eux-mêmes réifiés.

Elle s'est donné la mort et comment ne pas tenir responsable ce monde qui l'a tant fait souffrir et qui ne recherchait que sa perte, sa ruine. Comme vous lui ressembliez! Je n'aurais jamais cru que vous puissiez exister. C'est elle que j'ai revue en vous apercevant. J'ai bien failli en mourir, vous savez? L'espoir m'est soudainement revenu. Par la suite, chez moi, j'ai longuement pleuré ce retour de l'espoir. Vous n'avez pas compris et je ne vous en tiens pas rigueur. Vous ne pouviez pas savoir. Je n'avais qu'à me livrer avant aujourd'hui. Toute la nuit, en fait, j'ai pleuré comme j'en avais été incapable depuis sa disparition. Je n'avais pas pu pleurer sa mort qui me semble encore invraisemblable. Quand un être cher meurt, nous nions cette mort sinon la vie nous deviendrait si exécrable qu'on y mettrait fin. À sa mort, je n'ai pas pleuré. Je savais que le monde en viendrait à bout, viendrait à bout d'elle, viendrait à bout de notre amour. Alors, il me fallait détester ce monde méprisable de tout mon être. Il ne pouvait en être autrement ou, autrement, cela aurait signifié ma propre mort. Si j'avais pleuré comme j'ai pleuré la nuit de votre rencontre, je me serais enlevé la vie. Je me serais laissé glisser dans mes larmes, porter par leur épanchement, asphyxier par leur chape de mélancolie et de révolte. Cette nuit-là, je me suis laissé bercer par l'illusion qu'elle put encore être là et cela m'a arraché toutes les larmes du corps, je crois. Je suis rentré chez moi en me disant: *Tu as rêvé et celle que tu as vue ne peut pas exister parce qu'elle est morte.* Quel supplice, quels tourments! En vous voyant, je ne pouvais pas vous adresser la parole; je me serais adressé à un fantôme. J'étais sidéré et, au retour, après avoir déposé votre sac sur mon bureau, je me fermais les yeux en me disant: *Tu as rêvé: celle que tu as vue n'existe pas; tu as vu un fantôme.* Par la suite, j'ai ouvert votre sac et je suis tombé sur votre photo. Alors les larmes m'ont envahi. Mon amour revivait; c'était incroyable. La femme que j'avais tant aimée et, que le monde, dans son ultime méchanceté, avait rejetée, vivait toujours, déambulait du matin au soir parmi les ombres, et ses contours se précisaient enfin. J'ai pleuré jusqu'au sang. J'ouvrais les yeux, je regardais par la fenêtre, je regardais à nouveau votre photo et j'éclatais en sanglots. *Mon amour, le grand amour de ma vie, revit encore et n'est pas mort.* Toutes les illusions me revenaient et la vie du même coup. J'aurais sanctionné le siècle et fraternisé avec l'humanité; j'aurais vendu mon âme pour qu'elle me revienne et voilà qu'elle me semblait de retour. Elle représentait mes derniers retranchements et son retrait de la vie avait constitué la plus-grande-offense-de-la-vie-à-mon-égard et voilà que du monde des ombres son double me revenait. Il n'y a jamais eu de hasard. J'ai vendu mon âme pour entrer dans votre vie et je vendrai maintenant ma vie afin d'en sortir à tout jamais pour que les choses soient, au fond, bien faites. Vous n'entendrez plus jamais parler de moi. Je glisse progressivement du côté des ombres et des doubles. En inspectant vos papiers, j'ai découvert que nous avions la même date de naissance. Enfin, je suis né la veille de votre arrivée au monde. Cela n'a rien à voir avec le hasard. Peut-être vous aurais-je aimée autant que je l'ai aimée, elle. On ne refait pas le passé. À peine pouvons-nous nous apitoyer sur notre sort. Et cela ne sert pas à grand-chose. On peut pleurer certes, et je crois qu'il est très généreux de pleurer, mais, si cela constitue une espèce de récurage intérieur, de notre intérieur, cela, charité bien ordonnée, ne concerne toujours que nous-mêmes. Les larmes des autres nous demeureront toujours inexplicables parce qu'elles ressemblent aux étoiles qui cherchent à trouver un sens à leur lente extinction dans cet univers qui les contient et les dépasse.

Il était revenu. Voilà que mon amour se réincarnait, m'arrachant subitement les larmes que je n'avais pas versées lors de sa disparition, que je me refusais à verser afin qu'elle revive un jour en vous. Sa fragilité était telle que la vie l'a emportée et qu'elle m'emporte à mon tour. Au moins, aurais-je pleuré ce qu'il m'était permis de pleurer. Quand nous avons ri sincèrement ce que nous avions à rire, quand nous avons pleuré aussi sincèrement ce que nous avions à pleurer, nous avons acquis le droit, il me semble, de nous fermer et les lèvres et les yeux. Allons donc!

MEMBRE DE SCABRINI MEDIA

Québec, Canada
2001